何とかならない時代の幸福論

ブレイディみかこ
※
鴻上尚史

朝日新聞出版

目次

Ⅰ

日本の現在地――私たちはどこへ向かっているのか

II 社会と向き合う
——表現としてのコミュニケーション

＊本書の「Ⅰ　日本の現在地
――私たちはどこへ向かっているのか」は、
NHK Eテレ「SWITCHインタビュー達人達」
（2020年3月21日）で放送された対談を
未放送分も含めて収録、加筆修正したものです。

「Ⅱ　社会と向き合う
――表現としてのコミュニケーション」は、
本書籍のためにあらたに行われた
対談を収録しました。

1

日本の現在地

私たちはどこへ向かっているのか

日本のバブル、「一億総中流」の時代に――

鴻上　そもそもですけど、今回の番組の対談（「NHK Eテレ SWITCHインタビュー 達人達」）は、ブレイディさんからのご指名みたいですけど、どうしてまた？

ブレイディ　私はイギリスに住んでいるので、もう全然日本のテレビも見ないし、ほぼ雑誌や新聞も目にしない。唯一《ゆいいつ》の情報源はネットなんです。「AERA dot.」の鴻上さんの人生相談、Twitterでよくリツイートされて話題になってる時なんかに、よく読ませていただいてるんですよ。

文筆家の方がよく人生相談に答えてらっしゃいますけど、すごく洒脱《しゃだつ》にまとめられてスナップを利かせてる感じが多いですよね。でも鴻上さんは、真正面から長く熱く語ってらっしゃるから、私はそこから今、日本ではこんな状況なのかって、学ぶことが多いんですよ。これは一度会ってお話したいと、ご指名させていただきました。

鴻上　そもそも、イギリスにはどうして行かれたんですか？

ブレイディ　私はもうティーンの時から音楽が……やっぱりUKロックというか、パンクが好きで。

鴻上　ブレイディさんの今、着られてるファッションがそうですもんね。

ブレイディ　ポストパンクとかあの辺からずっと延々と、イギリスがとにかく好きなんです。何て言うんだろうな、「ワーキングクラス」っていう言葉を昔のロックの人たちはすごく使いましたよね。80年代で私がティーンの頃、日本はバブルで、「一億総中流」という時代でした。

鴻上　ソフト&メロウな曲が流行《はや》っていた時代ですね。

ブレイディ　そんな時に、気骨のあるワーキングクラスって、すごくかっこいいなと思って、私自身の父親も肉体労働者ですし、それはワーキングクラスじゃないですか。だから本物のワーキングクラスの人々がいる国に行って、思いっきり本場の音楽を聴いてみたいって思ってたんです。高校卒業してイギリスと日本を行ったり来たりするようになりました。バイトしてお金を貯《た》めてロンドンに行って、お金がなくなったら帰国して、またバイトしてお金を貯めて行って……と、その繰り返しでした。

鴻上　一番ハマったバンドは何ですか？

ブレイディ　セックス・ピストルズ、ＰｉＬ（パブリック・イメージ・リミテッド）。もうジョン・ライドンのファンサイトまで運営していたんです。そこが私の始まりなんですよ。物書きとしてはジョン・ライドンのファンサイトから始まったっていうぐらい好きでした。

80年代「めんたいロック」が流行った博多で

鴻上　出身は博多ですか？

ブレイディ　博多です。博多ってまた、80年代「めんたいロック」がすごく流行った時代で音楽が盛んだったから、自分もバンドやったり、いろいろしてたんですよ。

鴻上　その頃の博多は、それこそロックのお祭りでしょ、シーナ&ロケッツとか。

ブレイディ　シナロケとか、ルースターズとかロッカーズも。

鴻上　高校生なのにライブ会場に行く、みたいな？

ブレイディ　そういう子がたくさんいました。街全体がロックしていて、悪い子はみんな音楽やってたみたいな、そういうノリがありました。

イギリスと日本を往復する生活にだんだん疲れてきて、しばらく福岡に落ち着いたんですけど、でもやっぱりイギリスに行きたいなって思うようになって。私生活でいろいろあったのもあって。20代の時はいろいろあるじゃないですか。色恋沙汰《ざた》だ、なんだと。30になった時に、ああもうこれは本当にイギリスに行こうと思って、今度は帰ってこないという気概《きがい》で行ったら、本当に日本に帰らなくなっちゃって、今までイギリスに住み続けています。

鴻上　英語はいつぐらいに、どれくらいで覚えたんですか？

ブレイディ　イギリスと日本を行き来していた時に語学学校に通って少し勉強したんですけど、30歳になって本格的にイギリスに行こうと決めた時に、まずは検定に向けてちゃんと勉強することにして……だから最初は学生として住んだので、語学学校に通いながら、日系の新聞社の事務所で駐在員の記者さんたちのアシスタントの仕事をしていました。

鴻上　日系の新聞？「英国ニュースダイジェスト」とかじゃなくて？

ブレイディ　日本の新聞の駐在員事務所で電話番とか、雑用係みたいな仕事をしていたわけですよ。そうこうしているうちに今の連れ合いと出会って、結婚することになった。そうすると、学生ビザじゃなくてフルタイムで働けるレジデント（無期限滞在が可能なビザを持つ）になれるから、それで今度は別の日本の新聞のロンドン事務所とかでフルタイムのスタッフとして、しばらく働いていたんです。

でも、住んでいるブライトンからロンドンまで通勤するのがすごく大変になってきて、ブライトンに落ち着こうということになり、しばらくはフリーの翻訳の仕事なんかをしてました。

そんななかで、この本『ぼくはイエローでホワイトで、ちょっとブルー』（新潮社）の主人公になっている息子ができちゃって、乳児を抱えて翻訳の仕事をするのは、大変だったんですよ。断っているうちに仕事ってこなくなるじゃないですか。でも育児してると、子どもってすごく面白いなと思うようになったんです。

鴻上 ほうほう、なるほど。

トニー・ブレア時代の外国人保育士〝大リクルート作戦〟

ブレイディ これが人生の一大転換期になりました。ちょうど、トニー・ブレアが首相の時代（1997〜2007年在任）で、あの頃は保育士不足の問題もあって、外国人の保育士を急いで増やそうとしてたんですよ。一大プロモーションを打って、移民をターゲットに、保育士の〝大リクルート作戦〟をしてたんです。

多様性は幼少期から培《つちか》われるという意識も労働党には強くあって、外国人保育士だけじゃなくて、いっぺん社会に出てから大人になって保育士になろうとする人もすごく奨励していました。政府がタダで保育士にさせてくれたんですよ。どこかの保育所に、無給の見習いスタッフとして籍を置いて働いていれば、コースの受講費などをすべて免除してくれたんです。

鴻上　どれくらいの期間で保育士になれるんですか？

ブレイディ　一介《いっかい》の保育士の資格だったら1年半ぐらいで取れます。ただ、週に決められた時間に、ボランティアでもいいからどこかの保育施設で本当に働いてないといけない。そこにメンターというか師匠みたいな人がいて、その人に実地での指導もしてもらいながら学んでいくんですけどね。

鴻上　どうして保育士を選んだんですか？

ブレイディ　子どもができるまでは、子どもが嫌いだったんですよ。でも実際にできてみると……人間は環境の動物って言うけど、本当に子どもって環境しだいで変わるんですよ。
私たちって大人になったら、自分ひとりで何でもできるようになった気になっているけど、誰かが教えてくれないとトイレだってできないわけじゃないですか。これはすごいなと思ったんですよ。大人が子どもに果たす影響力はすごく大きいなと。こういうことは他にないんじゃないかなって思いましたね。

鴻上　なるほど。それじゃあ、自分の持っているパンク魂とは、そんなに矛盾《むじゅん》はしなかったわけですね。

ブレイディ　矛盾はしなかったですよね。逆に子どもってすごく面白いって思いました。教育といえば、パンクにのめり込んでいた若かった頃は、反抗的だったから先生のこと嫌いでしたけどね（笑）。

鴻上　映画『シド・アンド・ナンシー』（セックス・ピストルズのベーシスト、シド・ヴィシャスと恋人の愛を描いた作品）なんかを見ると、パンクロッカーはやがて死ぬんだなと。死なないとパンクじゃねえな、みたいな雰囲気があったでしょう。だからあの当時はハマると、そういう気持ちになったりしませんでした?

ブレイディ　シド・ヴィシャスはあんまり好きじゃなくて。ジョン・ライドン派でした。ニックネームはジョニー・ロットン(「腐《くさ》れのジョニー」の意)だから、もうボロボロになっても生きろっていうことじゃないですか。

鴻上　そうか。あっという間に死ぬ方が、結果として生き延びている奴から見ると楽ですもんね。それで保育士になってみたら、すごく面白かったわけですね。

イギリスで差別されていた地域の保育所で

ブレイディ　面白いですよね。こんなに面白いことはない。また私が資格を取って保育士になったのが普通の保育所じゃなくて、ちょっと特殊な無料の託児所だったんですよ。それが貧困地域にあって、いわゆるソーシャルワーカーが絡《から》んでるような、家庭に問題のある子どももたくさん来ていたんですよ。

そういうところで働いているうちに何かこう、これはある意味、保育士になって未来の子どもたちを育てているということは、すごく小さな範囲かもしれないけど社会を変えることだよね、と思ったんですよ。私の保育士の師匠がそういう考え方の人だった。マクロから見たら小さな小さなことだけど、そこで子どもたちを育てて、何か小さなコミュニティを作っていくということは、社会を変えていくことだなって本当に思いました。

鴻上　保育士の受講料が無料ということですが、託児所には全員入れるんですか？

ブレイディ　希望者全員は入れないですけど、私が勤めていた託児所は一番問題がある地域で、経済的に本当に困窮《こんきゅう》しているような、差別されている地域にあったんです。その地域の家庭の子どもたちがずっと預けられてきた。

どんなにそこで良い保育をしていても、やっぱり、ちょっと差別されている地域だから、なかなか他の地域の人たちは来たがらないというか、あんまり希望されませんよね。子どもが悪い環境に感化されてしまうんじゃないかとか、暴力を振るわれるんじゃないかとか思ってしまって。

鴻上　それはやっぱり貧困が一番の問題だったんですか？　それともいろんな多様な人種がいて差別が激しいということですか？

ブレイディ　私が保育士の資格を取った頃は、イギリス人の貧しい家庭の子が主に来ていたんですけれども。

鴻上　ホワイト・トラッシュ（低所得層の白人を指す侮蔑語《ぶべつご》）といわれるやつですね。

ブレイディ　その頃から、託児所もすごく変わりました。だんだん移民の方々が増えていくと、何かやっぱりそこに軋轢《あつれき》が生じてきて……結局移民のほうが多くなってくると、白人の方がだんだん来なくなりました。顔ぶれがだんだん変わっていきましたよね。それは『子どもたちの階級闘争——ブロークン・ブリテンの無料託児所から』（みすず書房）という本に書いているんですけど。

鴻上　『ぼくはイエローで〜』を読むと、中学生同士でもう差別意識があったりするじゃないですか。託児所レベルだと差別意識はまだ、そんなにないですか？

ブレイディ　子どもでも、差別意識を持っている子もいますね。

鴻上　親の差別意識を刷《す》り込まれる、ということですかね。

ブレイディ　訳わからないままに口にしている子もいるけど、でもまだ幼児同士の時のほうが、まだ何か親から刷り込まれている痕跡《こんせき》がダイレクトに見えますよね。

鴻上　幼児で何も意識を持たないまま親の差別的な言葉をリピートしてるのを見るの

は、なかなか切ないものがありますね。

ブレイディ　だからイギリスの保育施設は、例えば労働党が政権を持ってた時は、トニー・ブレアの一大改革で、保育の2本柱が「ダイバーシティ&インクルージョン(多様性と社会的包摂《ほうせつ》)」。多様性推進をすごく柱に掲げていたので、そういう方面の教育は一生懸命してましたね。その前は単なるケア。単に子どもの面倒を見ることが保育士の仕事だと思われてたんです。

トニー・ブレアの政権は、保育を単なる「子どものケア」から「教育」に変えました。だから0歳時からカリキュラムがバッチリ作られました。そのカリキュラムの中に、多様性推進がはっきり組み込まれているんですよ。

例えば、子どもが遊ぶ時のための、場所のセッティング。小さなドールハウスをセッティングするとして、そこにいるのはお父さん、お母さんだけじゃいけない。そうじゃない家庭もあるから、お父さんとお父さんにエプロンをさせて立たせておくとか。あと必ず車椅子《くるまいす》に乗った人形もあるんですよ。メガネをかけたりとか、みんなちょっとずつ違う人形にしとこうねという意識。そういうところまで気を使うという徹底ぶりはすごい。これは日本でもやってるだろうかって考えました。

鴻上　やってないでしょう。だから僕、今回の本を読んですごく面白いと思ったのは、多様性がどれだけ難しいかという具体的な問題にいっぱい直面しているところです。

日本も実は海外からの多様性を受け入れざるを得ないっていう時期にきているんだけど、いまだに日本で聞く言葉は、「みんな仲良く」とか、「全員でひとつになりましょう」とか「絆《きずな》」とかばかりですね。外国の人がまだ少なくて、国民の価値観もほぼみんな同じだった、昭和の一時期までの頃はまだ何とかなったかもしれないけど、今はもうそんな価値観でいられる時代じゃないのにと思いますね。

お父さんが2人エプロンをしているような人形を日本の保育園が用意したら、たぶん大騒ぎになるでしょうね。だって選択的夫婦別姓でこれだけ揉《も》める国ですからね。

ブレイディ　それ、信じられませんよね。なんかこう、すごくトラディショナルですよね。

鴻上　トラディショナルというか、本当に変化したくない人が多いんでしょうね。

23年間、物価も賃金も上がらない日本

ブレイディ　イギリスに移住してから23年って、すごい長いですよね。でもなんかね、日本へ帰ってきてもあんまり変わった感じがしないんですよ。これはすごく珍しいと思います。経済もそうじゃないですか。だいたい23年間で、イギリスの物価はすごく上がっているのに、日本の物価はデフレでほとんど上がらない。それに賃金も上がってない。

鴻上　竜宮城の浦島太郎ですね（笑）。

ブレイディ　そうですよね。これほど変わってないというのは……鴻上さんがおっしゃっているように社会の人々の意識が、何かかたくなに、変わらないでいたいのかな

って。

鴻上　怖いんだと思いますね。変わらなきゃいけないとはなんとなく思ってるんだけど、どこに向かっていいか分からないから、とりあえず現状を守っておこう、という意識じゃないでしょうか。

だからブレイディさんの本の、息子さんが新しい制服を買えない貧しい家の友達に対して、ブレイディさんが繕《つくろ》った制服をどう渡すかと悩むくだりは、とても大切な場面だと思いました。

ボロボロの制服を着てあまりにも可哀想《かわいそう》だから、じゃあどうするか、という時に、これ着ろよって直接渡したら、すごいまずいだろう。どうやったら友達のプライドを傷つけないように渡せるか。あの場面は大事な生きる知恵というか、社会みんなで考えるべきことだと、思ったんですよね。息子さんは、そこで、とてもいいことを言いましたよね。

ブレイディ　私はあの場にいるわけじゃないですか。いやいや繕った制服を紙袋に入れてるけど、どうしよう、どうしようって私の方がすごく焦っていて。でもその時に大人って考えすぎてしまう。

でもちょっと待って、今この子にこの服をあげようとしてるのは、自分の息子の友達にあげようとしてるってことは、これはすごい身内意識なんじゃないか……。だって、その子以外にも学校にはたくさんそういう子がいるわけで。なんでこの子にだけあげようとしてるのか。

内と外の意識になってしまってて、これはこれで間違ってるんじゃないかとか、いろいろ考えて、やっぱりあげないほうがいいんじゃないかって、何かをするよりもしない方向に考え始めた時に、息子が「君は僕の友達だからだよ」って言った。その言葉を聞いて、これが基本じゃないかって思いました。なんか基本を忘れてるんじゃないか大人は、って気づいた瞬間でしたね。

鴻上　あれこれめんどくさいことを考えた結果、それが一番大事だってことですよね。でもそもそも、お下がりとか余った制服をみんなが持ち寄って、それをちゃんと直して配るというシステムがあることに、僕は感動しましたけどね。

ブレイディ　あれは先生の一人が発案して、始めたんです。

鴻上　そうか、先生のボランティアですか。

イギリスの緊縮財政、貧困層の子どもたちの窮状

ブレイディ　保護者たちが一緒にやってるんですけどね。でもきっかけになったのは、先生たちがあまりに貧しい子どもたちの窮状《きゅうじょう》を見ていられなくなった。緊縮財政が始まってから過去10年、福祉のカットで苦しい家庭がますます苦しくなってるんです。

子どもはティーンの頃にすごく成長するのに、新しい制服を買えない子は、すごく袖《そで》が短くなったり破れたりした制服をそのまま着てくる。スペアの制服が買えなくて

一着しかないから、洗濯して乾いてなくてもそのまま濡れた制服を着てくる子がいます。

緊縮財政で先生たちだって賃金カットされてるのに、生徒があまりにお腹を空かせている時には食事を買い与えることもあります。何とかしないといけないと、保護者にリサイクルの協力を募《つの》ってやりましょうよって声掛けして立ち上げた先生がいらっしゃって、そこから今も続けてるんですけどね。

鴻上　学校の先生方が自分の身銭《みぜに》きって食事与えるんですね。本当に頭が下がります。

イギリスって、割と大きい目抜《めぬ》き通りにも、いわゆるセカンドハンドというか、リサイクルショップのお店があるじゃないですか。日本でいうと銀座の真ん中にリサイクルショップがある、みたいなことですよね。

ブレイディ　あるんです。

鴻上　そこは庶民の知恵というか、日本で貧しい子達がいて古着を集めるリサイクルのシステムがあったとしても、いやそんなものはもらえませんよと、日本人だと過《か》剰《じょう》に遠慮したり、見栄《みえ》を張る可能性はあるかもしれない。
　また、被災地に古着を送るというのも、洗ってない古着とかを捨てる感覚で送る人がいて、問題になったりしてますよね。

ブレイディ　イギリスは緊縮財政で貧しい子が増えていて、子どもの貧困率が今、3人に1人ぐらいになってるんです。そういう数字を、私たちは新聞で見てるけど、先生たちって毎日毎日、現場でそういう子たちを見てるわけじゃないですか。
　グウッて鳴るほどお腹を空かせてる。ご飯食べてきてない、お金がないって、中学生ぐらいになったら言えないじゃないですか。小学生ぐらいだったら、うちはお金がないなんて言えたりするんですけど、中学生ぐらいになったら隠す子もいる。それは見ている先生たちも辛《つら》いから、生徒に食事を買ってあげることになっちゃう。

鴻上　でも日本だって、そうなってきてますからね。子供の貧困率は、13・5％（2

018年）ですから。約7人に1人が貧困状態なんです。

それで、子育てをしていくなかで、保育士はいったん辞めたんですか？

ブレイディ　まず、託児所を辞めて保育園に勤めてたんですけど、そこが潰《つぶ》れて、託児所に戻ったらそっちも潰れてフードバンクになったんですよ。緊縮財政で補助金などがカットされたせいなんですね。

要するに政府が地方自治体に渡していた拠出金が減れば、それまで補助金をもらっていたところに補助金が回らなくなりますよね。私が勤めていたような託児所は、一番初めに補助金を切られるような、公営ではなくてチャリティ団体運営の施設でしたし。補助金をバサッと切られてしまったら立ち行かなくなっちゃうし、緊縮で経済が悪化すると、民間企業からの寄付も減る。結局、最終的には潰れてフードバンクに変わっちゃったんですね。

それは本当に時代の縮図というか……食事を与えるところにはまだお金が出るけど、それ以外の、子どもの保育だとか文化的なところには、もうお金が回らなくなったという時代の現実を反映していました。

イギリスで増加するフードバンクとホームレス

鴻上　フードバンクはどういうシステムですか？

ブレイディ　フードバンクは、本当に貧困で食べられない方々――それもちゃんと福祉事務所から紹介状をもらってきた人が缶詰《かんづめ》などの食料の配給を受ける場所です。いわゆる生活保護を受けている方とか、昔は仕事がない方が行ったものなんですけど、今はちゃんと働いていてもお金がなくて、行く方も多い。

鴻上　それは日本も同じですね。

ブレイディ　いわゆるワーキングプアの人びとがフードバンクを利用する状態になっ

ていることが、問題になってます。イギリスで今すごく増えているのは、フードバンクとホームレスの方々で、それが社会問題になっていますね。

鴻上　最初に働いた託児所を辞めて、そこから別のところで働くという可能性はなかったんですか?

ブレイディ　しばらく別の保育園で働いたんですけど、結局また、元いた託児所に。保育園も、行くとこ行くとこ潰れるんです。

鴻上　それも緊縮財政の影響ですか?

ブレイディ　緊縮財政だけじゃなくて、違う理由がまたいろいろあるんですけど。元いた託児所は、その時はまだ風前《ふうぜん》の灯火《ともしび》で続いていたので、戻って、そしたらそこがもう完全に潰れてしまって。その時のことを書いた『子どもたちの階級闘争』が出版されて、そうこうしているうちにＹａｈｏｏ!ニュースなどにも記事を書くようになって、書く方の仕事が忙しくなってきて、だんだんライターに軸足が移っていきました。

鴻上　なるほど。『ぼくはイエローで〜』の中で、教育が多く語られてるじゃないですか。日本も本当に直面しなきゃいけないことが、教育にもあって。ただ「みんな仲良くしましょう」という言葉で済ませるわけにはいかないわけです。この本の中で息子さんが言ってた、学ぶという権利もあるけど、話を聞いてもらう権利もあるとか、子供の権利に関する条約のくだり――イギリスは小学校から、子供には権利というものがあると、ちゃんと教える教育がある。

というのも、日本の教育は真逆《まぎゃく》に進んでいるように感じるんですよね。最近、「もぐもぐタイム」という、給食の時間に一言もしゃべらないでご飯を食べるという指導が日本の小学校で広がってるんですよ。広島から始まったんですけど、その理由が、いっぱいおしゃべりすると給食をたくさん残すから。給食の時間に、はしゃいだり歩いたりする子供がいるから、一言も喋《しゃべ》ってはいけないっていうのをやってみたら残食率が劇的に減ったということなんです。それを聞いた他の学校関係者もこりゃいいと始めた。「もぐもぐタイム」って可愛《かわい》い名前ですけど、強制沈黙タイムです。今、日本ですごい勢いでこの指導が広がっているんですよ。

　もうなんか、イギリスの教育と真逆じゃないですか。これに対して、もちろん抵抗してる小学校の先生もいる。ケンカした子供達が給食でご飯食べながらそこで仲直りをするとか、「これおいしいね」とか、「なんだお前ニンジン食べられないの」と会話するとか、給食の時間は食べることとコミュニケーションを上達させるためにあるはずだとおっしゃってる。

ブレイディ　社交の場ですよ。

鴻上　社交の、コミュニケーションが上達するための場でしょう。その場に、沈黙が広がっているんですよ。もう怖くなるでしょう。

ブレイディ　怖いですよ。どんな社会にするつもりなんでしょう。

自分の判断で水を飲ませない？
日本の学校教育

鴻上　親にも子供にも、学校関係者にも『ぼくはイエローで～』が広がればいいと心底思います。僕は夏に『スクールオブロック』というミュージカルを演出する予定で（残念ながらコロナ禍で中止に）、オーディションをやったんです。50人ぐらい小学生がいて、小学5年生と6年生なんですけど、ダンスしてもらった後、みんなハァハァ息を切らして席に戻る。席の傍《そば》に水筒を置いてあるのに、みんな水筒に手を伸ばさないんです。飲んでいいんだよって言ったら50人が全員一斉《いっせい》に飲み始めました。嫌な予感がして、君達はまさか、学校で先生から飲めって言われないと飲んじゃいけないのかと聞いたら、全員がうんとうなずくわけ。オーディションだから、その50人はみんな別々の学校ですよ。

僕はあまりにも悲しくて呆《あき》れたからＴｗｉｔｔｅｒでその出来事をつぶやいたんで

すよ。そしたら返信のツイートがあって、「鴻上さん、この前駅のホームにいたら、課外学習らしい小学生の集団とその引率《いんそつ》の教師がいて、生徒が1人、飲み始めたら、その引率のおやじさんが、『こらっ、何を飲んでるんだ。飲みたかったら飲んでいいのか』って叫《さけ》んでました」っていうのね。飲みたかったら飲んでいいのかって叫ぶ引率の先生。すごいでしょ。

ブレイディ　……すごいですよね。

鴻上　その後、電車の運転手さんが運転中に水を飲んでたとか、消防士さんがコンビニの前で何か飲んでたとかいうことが、ネットで炎上する騒ぎが起きたわけですよ。これは、そんな教育を受けてきた子達の結果なんじゃないかって思ってしまうんです。

今、「もぐもぐタイム」が広がっているので、あと10年くらいしたら「ファミレス入ったら隣《となり》で家族が喋りながら食べてた。うるさくてしょうがない」みたいなクレームが出始めるかもしれない。食事はなんで黙って食わないんだ、みたいな揉《も》め事が起きるんじゃないかと本気で心配になります。

だから本当にブレイディさんが書いた、この貧困と多様性の社会で、一歩間違うと簡単に差別や憎悪《ぞうお》が生まれる時代を、どう教育として向き合い、どううまく生き延びて対処するかという問いと知恵が本当に大切だと思うんです。日本では今、真逆な方向に進もうとしていますから。

ブレイディ　……というか、水の話だったら私たち保育士にとっては、もう法律で決まってることですね。ウォーターボトルを一人ひとりに持たせて、好きな時に飲めるようにしないといけない。ディハイドレイティッド（dehydrated＝脱水状態）になったりすると大変ですから、健康問題としてダメなんですよ。

法律でそうしないといけないって決まっていて、小学校も、学校に一人ひとりウォーターボトルが置いてある。のどが渇《かわ》いたら飲めるようにしないと健康を害するし、第一、それは虐待です。子どもの人権を無視していることになるわけですよ。なるほど、日本と真逆です。先生の許可がないと水も飲めないという教育――子どもの人権はあるんですかね。

鴻上　どうですかね。それに対してつぶやいたら、学校の先生じゃないと思いますけど、反論で、「勝手にいつでも好きな時に飲めって言ったら、それぞれが飲み始めて授業にならないのが分かんないのか、お前は」と抗議がきました。

ブレイディ　飲みながら聞いてますよ。何が悪いんでしょうね。

鴻上　それこそ欧米の大学の授業ではね、ガムをクチャクチャ嚙《か》みながら聞いてる。日本は静かに背筋《せすじ》を伸ばして聞くのが教育だって思ってるんですかね。

ブレイディ　管理ということで言えば、子どもが然《しか》るべき理由もなく学校を休んだら親が罰金を払うというイギリスは独特ですよね。逆に社会が子どもを育てるという意識がすごくあるから、例えば親がきちんと子どもを育てていなければ福祉がどんどん介入する。育児放棄《ほうき》ぎみで、子どもが学校に行かなくても放置されている、というのはよくないので、そういう親には罰金を科しますよっていう動きですよね。

社会が子どもをきちんと育てるという概念は、社会が家庭を監視するということにつながるし、監視っていう言葉はちょっとよくないんですけど、だけど、子どもがきちんと育てられているかが観察できる場所はやっぱり学校だっていうのがあるから。ちょっと厳しいですけどね。

公立校と私立校にみる、イギリス社会の激しい経済格差

鴻上　いわゆる多様性への取り組みをちゃんとやってるからイギリスはいいなと思う一方で、『ぼくはイエローで〜』に書かれていた私立校と公立校の学校対抗プール合戦のくだりは衝撃でした。いわゆるプライベートスクール、つまりエリートの学校のプールサイドは生徒達が少なくて広々使っている一方で、公立学校側のプールサイドは生徒達がたくさんいる。私立校と公立校が、はっきり分けられている。公立校の子供達のスペースがあまりにも窮屈《きゅうくつ》だから、空いている私立校のプールサイドのスペー

スを使おう、ということにはならないんですね。

ブレイディ　あれはもう、衝撃でしたよね。私もあそこまで露骨《ろこつ》に私立学校と公立学校を分けるのかって。競技を別々に行うから、別々に座らせたほうがやりやすいというのはもちろんあるんでしょうけど──そもそも、その競技も同じプールなのに別々に行うっていうのも結構すごい話ですよね。

鴻上　公立校が泳いだら私立校が泳ぎ、また公立校が泳いだら私立校が泳ぎ。

ブレイディ　一緒にやればいいんだけどって思ってたんですけど、やっぱり様子を見てたらあまりに力の差があるんですよ。私立の学校の子たちは本当に本格的に習っているんです。立派で美しい泳ぎをするし、プロ並みのターンですごく速い。

かたや公立学校の子どもたちは、ターンにしても手でタッチして帰ってくる。同時に泳がせたら、公立校の子が泳ぎ始めた頃に私立校の子は着いちゃう。そのくらい差がつくのはもう見えてるんで。だからわざわざ別々に泳がせるのかなと、わかる気もするけど……。

経済格差がここまではっきり身体能力にまで影響してくると、同じ土俵《どひょう》に上がれないですよね。それって昔は勉強ができなくてもスポーツができるということがあったけど、ここまで親の持っている資本によって子どもの資質の伸び方に、露骨に差が出てくる世の中になると。

これは、演劇界でも同じことで、イギリスでは問題になってますよ。女優さんや俳優さんがあまりにもミドルクラス出身の人が多くて本物のワーキングクラス出身が本当に少ないから、そういう役を演じさせられる俳優がいないと、よく聞きます。

鴻上 39歳の時に1年間、ロンドンの演劇学校に行ってたんですけど、ロンドンのプライベートスクールの出身の男子学生がいて、開脚して胸がペタッと床につくわけですよ。感心していたら、こっちに開脚しようとしただけで体が硬くて後ろに転がる……レイモンドっていうやがて親友になる男だったんですけど（笑）、彼は開脚そのものができなかったんですよ。
後々聞いたら彼はいわゆる田舎の公立学校。そうか、つまり家庭の経済力で、学力だけじゃなくて、身体能力にも差が出るんだと思って愕然《がくぜん》としましたね。

ブレイディ　そういうところは、イギリスは本当にすごい差が激しいですよね。ピンキリの世界というところがあります。

鴻上　日本人はイギリスやフランスに憧《あこが》れる人が多いかもしれないんですけど、こういうところを知ると考えてしまいますよね。ブレイディさん的には結局、イギリスは好きなんですか？　嫌いなんですかね？

ブレイディ　好きですよね。好きだから今もいるし、日本に帰ってくる気は全くないですもんね。

鴻上　そういう激しい格差があっても、好きですか？

ブレイディ　あるんですけど、正直に見せてますよね。日本はないようでいて、ありますよ。でもそれを、ないように見せようとする。

鴻上　なるほど。格差があってはいけないんだという前提が強いですよね。いじめも同じですね。生徒が自殺してしまった場合、教育委員会も学校も、「調査の結果、いじめは認められませんでした」と、デフォルトのように発表しますね。隠すんです。

ブレイディ　私は、そういうところは、日本はちょっと合わない。まだイギリスの方が正直に見せてるだけ、戦いようもあるじゃないですか。

労働党政権の時代に掲げられた多様性教育

鴻上　トニー・ブレアの時代にダイバーシティ（多様性）とかインクルージョン（社会的包摂）とかを掲げていたのが、気がついたら今はもうブレグジット（EU離脱）、第二のトランプが首相、というところまで来てしまったわけじゃないですか。

ブレイディ　ボリス・ジョンソンさん。これはやっぱりトニー・ブレアの時に、ダイバーシティにはすごく力を入れたけど、その一方で、新自由主義で格差をどんどん広げていった影響が出ています。

だから水泳大会でもモロに見られるような能力格差が明らかになっているのに、下層の方に、あまりにも救いの手が差し伸べられてない。経済格差が開きすぎると、今度は多様性という横軸の問題じゃなくて縦軸の問題がすごく目につくようになって、そこでどうして自分たちの暮らしはこんな風になっているんだろうって、みんな理由を探すようになる。

だけど、そこで新自由主義や経済政策に理由を求めるんじゃなくて、いやこれは移民が増えたからで、彼らが仕事を奪っているからで、彼らが賃金を押し下げていて……とかいう話になってきた。その方が一般の人にはわかりやすいんですよ。実際、身の回りを見れば本当に海外からの人が増えているし、やっぱりわかりやすい理由を求めちゃう。それを利用する政治勢力が出てきた時に、難しくなるということです。

鴻上　移民を理由にした方が分かりやすいから、人々は納得しやすいですよね。

ブレイディ　経済問題はいろいろ言われても、勉強をしている人でもない限りは複雑でよくわからないじゃないですか。でもやっぱりイギリスは、どんな風になってもたぶん長期的には大丈夫だと私は思うんですよ。それはうちの子どもの世代を見てるからなんですけど、なんだかんだ言ってあの子たちはトニー・ブレアの労働党が教育の大改革を行った時代に育った子たちで、政治への関心も高い。

　本当に、学校でもいろんなことをディベートさせられているし、自分の思っていることをすごく言うし、多様性とか身についている部分があるから12歳ぐらいの男の子でも、僕はいわゆるLGBTQかもしれないとか言えちゃうわけです。ああいう子たちがまた大人になってくれれば世の中は変わるし、やっぱり三歩進んで二歩下がるじゃないけど、イギリスってそうやって進歩してきた国だから、今はちょっと下がってる時期かもしれないけど、また必ず……。イギリスには社会への信頼が、日本に比べれば、まだある気がしますね。

鴻上　ただ、こういう話になると、何でもかんでもイギリスがいいんだろうと、短絡《たんらく》的に反発する人もいるでしょうね。

「世間」に生きてきた日本人のこれから

ブレイディ　日本のいいところはあるわけだから、そういうわけではないけれども。ただやっぱり足りない何かがありますよね。2019年、日本に台風が来た時、どこかの避難所でホームレスが入るのを役所から断られましたよね。実はイギリスでもニュースになってました。BBCが報じてたのかな、新聞にも載ってましたし。

その時、息子が言ったんですよ。「日本人は、社会に対する信頼が足りないんじゃないか」って。息子によれば、そのホームレスを断った人は、自分のことを本当は考えていないんじゃないかと。もし自分がここで「ダメです。入れられません」と言ってしまった場合に、そのホームレスの方はそれからどうなるんだろうって考えたら嫌じゃないですか、すごい嵐の中でどんな目に遭《あ》うかわからない。もしかしたら命を落とすかもしれないと思ったら。

そんな状況は、個人が背負っていくにはすごく重いじゃないですか。だから本当に自分のことを考えてるんだったら、いいですよって入れちゃったほうが楽じゃないかと。でもそこで入れられなかったのは、避難所に来てらっしゃる他の方――例えば町内会など地域の人々や、自分が所属している役所の部署の上司とかが、拒否したいだろうって思ったから。

「本当に個人として自分のことを考えたら、そこで誰かの生命《いのち》に対して責任を負うなんてことはしないはずだ」って、ウチの息子は言うんですよ。だから、「周囲の人たちがきっと嫌だって言うに違いない」っていう考えは、あまりにも社会への信頼が足りない。確かに日本にはそういうところは、あるような気がしますよね。

鴻上　僕がずっと言ってることですが、「世間」と「社会」で考えれば、そのホームレスを断った人は世間に生きている。自分と利害関係がある人達のことを世間と呼んで、自分と全く利害関係のない人達が社会になるんですけど、避難所に集まった人達は、区役所の人にとって世間で、ホームレスは社会、ということになるんです。結局、区の役所の人の場合は世間を選んで、社会は無視したんです。

私達日本人が、駅でベビーカーを抱えてフーフー言いながら、階段を上がっている女性を助けないのは、社会に生きている人達だから関係ないと考えるからです。知り合いだったら、すぐ飛んでいって助けるでしょう。それは相手が世間の人だからです。

断った役所の人にとっては、ホームレスは完全に社会に属する人だから無視しても構わないという考えですよね。一方、避難所の人達は、世間に属する人達だから大切なんです。

それはつまり、ブレイディさんの息子さんが言ったように、社会に対する信頼が低い……というか、ほとんどないと言ってもいいかもしれない。日本の「旅の恥はかき捨て」っていう言葉は、旅に出るともう出会う人は、みんな社会だから何をしても別に構わないということですから。

ブレイディ　イギリスの人は、見知らぬ人を助けますね。私の連れ合いも、地下鉄から駅に向かう階段で大きなスーツケースを持っている人がいたら、何も言わずにスッて持ってあげるんですよ。

でもある時、日本人の女性がスーツケースを持って上がろうとしていらしたので、連れ合いがスッて持ってあげたらすごい叫ばれて。泥棒かと思われたようなんですけど、日本人はそれくらい、そういった親切をされ慣れてないっていうことですよね。

鴻上　本当にそうですね。以前、イギリスの地下鉄で、明らかにパンクスなモヒカン野郎が老人に席を譲る瞬間を見て、驚きと感動で叫びそうになりましたもんね。

ブレイディ　イギリスだったら当たり前ですもんね。扉でも、次の人が来るまでずっと開けて待つじゃないですか。日本に帰ってきたら、扉が顔の前でバンッて閉まるから、びっくりしますもんね。そうか、日本だったたって。

鴻上　日本人は、そうやって世間だけで生きてきた。ちょうど昭和中期ぐらいまでは、それでも国は回ってたから問題なかったんだけど、価値が多様化して、「世間」が弱体化して、「社会」とつながるしかない時代になっていると思います。

だから僕はブレイディさんの本がちゃんと売れてるのはすごい希望だなと思うんですよ。日本も、どんなに嫌がったり、抵抗する人がいても、絶対に多様性が認められる方向に進む。止められないのに、学校側は止めたいと思い込んでるから、「髪を黒く染めろ」「OKした時しか水飲んじゃいけない」って言う。学校側は本気で止めてみせると思ってるんでしょう。

でも価値も人間も多様化することを分かっている人達は、どうやって関係をつないでいったらいいんだろうって、多様性の中でコミュニケートする方法を探してるんだと思うんです。だから『ぼくはイエローで～』に出てくる、「シンパシー」と「エンパシー」の違いについて書いた部分も、僕はすごく感動したんです。

「エンパシー」とは、その人の立場を想像してみる能力

ブレイディ　シンパシーとエンパシーって、語学学校で英語を勉強してた時に引っ掛け問題でよく出てきたんです。英語の検定試験も上級のほうにいったら、ああいう問題が結構出るんです。イギリス人でもけっこうシンパシーとエンパシーの違いってわ

かってない人が多い。意味をごっちゃにしてる人たちが多くて、みんなに聞いてみると、微妙にそれぞれ違う意味で捉《とら》えてたりしてるんですよね。

シンパシーというのは、もっと感情的に同情したり、同じような意見を持つ人に共《きょう》鳴《めい》したりすることですよね。SNSなら「いいね」ボタンみたいなもの。でもエンパシーはそうじゃなくて、対象に制限はない。自分と同じ意見を持ってない人でも同情できない人でも対象になり得る。この人の立場だったら自分はどう感じるだろうって想像してみる能力——アビリティって英英辞書には書いてあるんです。

だからそこには希望があると思う。アビリティだったら、伸びるし、伸ばせるわけじゃないですか。「エンパシーという能力を磨《みが》いていくことが多様性には大事なんだよ」と、息子が学校で習ってきたんですけど、これは本当にその通りだなと思います。

鴻上　いい教育ですよね。本当は道徳って、そういうことを教えなきゃいけないと思います。「かわいそうだから同情します」じゃなくて、相手の立場に立てる能力をどうしたら伸ばせるかっていうことですからね。

ブレイディ　それってすごい知的能力じゃないですか。人には想像力があるわけだし、例えば文学なんてのは、こういうエンパシーの力がなければ書けないわけですよね。息子が中学校で習ってきたのは、「シチズンシップ教育」というものなんですけどね。このシチズンシップ教育は、すごいことやってますよ。

鴻上　それは、どういう教育ですか？

ブレイディ　日本でいう公民の分野にあたる、衆議院議員は何人とか、議会政治の仕組みも習います。だけど、それだけじゃなくて、すごくトピカル（時事的）な問題——今起きている社会問題を持ってきて話し合いをしたり、考えを述べたり書かせたり。だから習っているほうもきっと面白いんですよ。でも、正解がない問題もある。最近、これはすごいなと思った問題は——「（架空の）ある教授が今、学校でレイシズム（人種差別）の問題について教えすぎていて、弊害が出ていると言っています。君はこれについてどう思うか。まず賛成か反対かを述べて、その理由を書きなさい」。
息子の試験の問題に出たんです。こういう問題は、大人でも戸惑《とまど》うような問題です。私の息子は13歳なんですけど、その年齢でそんな問題を出題されている。しかも今のイギリスは、それこそEU離脱でレイシズムの問題がひどくなってるから、そういう問題を出しているんだと思うんですけど、今本当に社会で現実に起きている、トピカルな問題を書かせてるわけじゃないですか。
これって、採点する先生にも相当の度量が要《い》ると思うんですよ。正解がないじゃないですか。でも、先生もきっと楽しいだろうなと思うんですよ。決まりきった答えの採点じゃないから。

鴻上　毎年同じ問題を出すんじゃなくてね。

ブレイディ　そういう教育って、すごく大事ですよね。

鴻上　ええ。結局は自分の頭で考えるということの大切さを、教えてくれる。

ブレイディ　息子の学校で課されている問題を見てると、この教育を受けてるか受けていないかでは、大人になってからすごく差が出るように思います。私は政治時評みたいなのも書くんですよ。で、昨今の政治状況を変えるにはどうすればいいと考えた時、やっぱり日本を変えるには、教育を何とかしないとダメだなって思います。

たぶん鴻上さんもそういうことを考えてらっしゃるんじゃないのかなって、私、「鴻上尚史のほがらか人生相談」を読ませてもらって感じました。すごく教育、子どものことに関心を持ってらっしゃいますよね。

鴻上　はい。でも教育は、まさに親の問題でもありますよね。2019年の秋くらいに、有名なトロッコ問題——「トロッコが、こっちの線路に進むと1人が死んで、もう一つの線路に進むと5人が死ぬ。君はその分岐点《ぶんきてん》でどうするか」という問題を山口県の小・中学校を担当するスクールカウンセラーの人が出したら、保護者から、人の生き死にをなんだと思っているんだっていうクレームがきて、問題になったんですよね。

ブレイディ　そっちが問題になるんですか（笑）。

鴻上　そっちなんですよ。小学校の高学年だと少し早いとは思いますが、どちらを選んでも殺人を選ぶ問題を出すとは、どういうことなんだっていうクレームがきて、結局、校長が正式に謝罪の文書を全保護者に配ったそうです。いやこれは生命とか道徳のための思考実験の話で、人の死をもてあそんでいるわけではないと思うんですけどね。非常に驚きました。

ブレイディ　すごいですね。

生まれつき茶髪の生徒に「髪を黒く染めろ」と強制

鴻上　だって日本は、世界的規模で見ると笑える教育の出来事がいっぱいありますよ。数年前に大阪の高校で、髪が生まれつきちょっと茶色くて、学校から黒く染めるよう強制されていた女子高生がいたんです。その女子高生は1週間に2回も3回も染めているうちに地肌がどんどん腫《は》れてきてしまったので、髪染めをしたくないと訴えたら、学校側は「じゃあ退学しろ」「学校にくるな」と。
さすがに日本でも問題になったんです。その女子高生が学校を提訴したら、副校長が女子高生の弁護士に向かって、「うちは金髪の留学生でも染めさせますから」って啖呵《たんか》切ったんですよ。すごいでしょ。僕は、トランプの娘でも入学してこないかなと、本気で思ったんですけど。

ブレイディ　イヴァンカさんが……。

鴻上　世界中が注目することになるから、刺激的な国際問題になると思ったんです。本当に、この学校は、世界に向けて「金髪でも黒く染めろ」と言うのか知りたいですからね。

ブレイディ　どうかしてますよね。

鴻上　生まれつき茶髪の生徒に髪を黒く染めろという不条理な校則のある学校が、生徒側の抗議に対して必ず持ち出すのは、「もし頭髪を自由にしたら間違いなく、生まれついて茶色なんですって言い放って染めてくるやつが出てくる」というものです。

それによって、あそこの学校はガラの悪い生徒が集まっているんだと、評判が悪くなる。評判が悪くなると、優秀な生徒が集まらなくなってきて、学校が荒れるっていう理屈。結局は、学校がそういう目にさらされるんですっていう論法が出てくる。「頭髪の自由を認める人権意識」なんていくら抗議しても「現場のリアリティーが分からないのか！」と言われる。

でも実際は、髪の色を自由にした学校は、だいたい最初にちょっと茶髪が増えるんだけど、そのあと先生が文句言わないから、生徒の側はだんだんやる気がなくなって茶髪は減ってくることが多いんですよ。結局、先生の管理に対する戦いですからね。校則が厳しいからこそ、反抗するんです。反抗するから校則が厳しいんじゃないんです。

ブレイディ　日本もイギリスみたいにどんどん外国の方が増えれば、髪の色なんか同じじゃないのが当たり前になるじゃないですか。そうなってくれれば、もういくら抑えようとしても、黒く染めろなんて理不尽《りふじん》な校則の押し付けは不可能になってくるでしょうけどね。

鴻上　日本が多様性に行かざるを得ないことは間違いないから、いろんな人の知恵を参考にしながら、いい形で進められればと思いますけどね。ブレイディさんの本もすごく参考になると思いますし。Ｔｗｉｔｔｅｒで「もう私はとっととこの国を出ます」とか、「子供が生まれたら、もう日本で教育を受けさせるつもりはありません」というつぶやきを、結構見かけます。でもね、そう早く結論を出すのもどうかって。やっぱり日本でできることを探していこうと思います。

ブレイディ　そういうことを言う方は多いですよね。いわゆる社会活動を日本でしてる方でも、「子どもはこの国で育てたくない」とおっしゃる方がすごく多いんですよ。彼らはよく言うんです。もう日本は行くところまで行かないと、わからないんじゃないかと。

鴻上　行くところまで行かないと分からないとなると、それこそアジア・太平洋戦争の時みたいに、３００万人も死なないと分かんない、ということになりますね。それは困ります。

ブレイディ　長期的な目で本当に変えるには、子どもをどう育てていくかという方向性はすごく大事ですよね。絶望的なところだけじゃなくって、希望のあるところもきっとあるはずだと思いますけどね。

中間・期末を廃止した中学校の教育

鴻上　ブレイディさん、千代田区《ちよだ》の麴町《こうじまち》中学校、世田谷区《せたがや》の桜丘《さくらがおか》中学校で授業されました？

ブレイディ　特別授業をやったんですよ。

鴻上　素晴らしいじゃないですか。それも希望のある話ですよ。

ブレイディ　うちの息子が通っている中学に、ちょっと似てる雰囲気がありました。

鴻上　東京で2校ですけど、希望を感じますね。他にも頑張ってる学校はあると思います。あの2校は、無意味な校則を廃止したこともそうですけど、期せずして、中間・期末テストも廃止したのがすごいなと思いました。なるほどと納得したのは、僕らは一夜漬《いちやづ》けをどこで学んだかというと、中間・期末なんです。

ブレイディ　みんなそうですよね。

鴻上　中間・期末試験よりも、達成するまで何回でも小テストを繰り返した方がいいというのは、その通りだと思います。普通の学校は、1学期に2回試験期間があって、試験期間の1週間だけ駆け抜けるように勉強して終わる。

麹町中も桜丘中も、単元が終わるごとに小テストがあり、なおかつ合格点を取れなかったら達成するまで何回でも繰り返す。だから最後は生徒が理解するところまでいく、ということですね。日本にもそんな改革をする中学校もあるんですから、希望はあるんです。

ところで、息子さんは本当に素敵《すてき》な中学生に育ちましたね。

ブレイディ　でも、あの本に書いてる頃は、11歳、12歳の話じゃないですか。今、13歳なんですけど、やっぱりだんだん変わってきてます。本当の思春期に突入していくぐらいの頃かな。でもそれでいいと思ってるんですよ。思春期ですからね。

鴻上　母ちゃんにもしゃべらなくなり、秘密をつくって……。

ブレイディ　そういう時期なんで、もう行けよ、そっちにって感じです。

日本で深刻化、内向化している悩みの質

ブレイディ　私、「AERA dot.」の鴻上さんの人生相談のファンで、読んでいると、今の日本が抱えている問題が見えてきますよね。特に最近の相談の内容……。

鴻上　なるべくバラエティに富んでいるようにしていて、編集者が10個ぐらいに絞ってくれて、その中から選ぶんですけど（その後、すべてを読むようになりましたが）、本当にいろいろタイプがあります。親がろくでもないのに、日本人は真面目《まじめ》だからか、子供がそれを一生懸命引き受けようとして苦しんでいるという相談も結構届きますね。

ブレイディ　鴻上さんが教育や親子関係に関心があるからというだけじゃなくて、もともとそういう悩みが多いということですか？

鴻上　多いですね。悩みの種類は本当に多様なんですよ。セックスレスの問題で「結婚して9年目ぐらいで、全く旦那《だんな》と何もなくなりました」というのから、男性の相談で話題になったのは66歳の男性がやっと退職して「妻とは今から旅行を、弟妹とは一緒に酒でも呑《の》もうと思って誘ったら、妻からは一緒に旅行に行きたくないと言われ、(弟妹からは)お兄ちゃんは偉そうだからイヤだと言われ、私はいったい何がまずかったんだろう」というのまで、いろいろきますね。

ブレイディ　振り返って、20年前30年前の日本と比べて、今の悩みの内容に日本の変化みたいなものを感じられることはありますか？　それともあんまり変わっていない？

鴻上　どうですかね。確かに経済的に発展してる時っていうのは、割と大した問題じゃないって、笑い飛ばせるんじゃないですかね。「絆」とか「つながり」という言葉が出てくる時代というのは、だいたい不況にあると思いますね。だから、高度経済成長の時代はたぶん、今よりもいろんな意味で縛《しば》りが強かったんだけど、どうせ未来は何とかなるんだからと楽天的になって、破天荒な人間も多かったような気がするんです。

でも今はもう、みんな出口が見えない中にいるから悩みがどんどん深刻化して、内向化しているなと、感じますね。

ブレイディ　内向化というのは、本当にそうかもしれないですよ。私は、イギリスの音楽が――パンクロックがすごく好きだったんで、それでお金を貯めてはイギリスに行って、また帰ってきてお金を貯めて……と、フーテンみたいな暮らしをしてたわけです。

鴻上　「フーテン」って、懐《なつ》かしい単語ですね（笑）。

ブレイディ　そういう暮らしをしていても、何とかなると思ってたんですよ。楽天的なところがあった。でも今の子たちは、すごく深刻に悩んでるじゃないですか。大学生の子と対談する機会があったんですけど、みんな就職のことしか考えてない。もうここで道を外したら人生終わりみたいに……社会とか政治とか、そんなことよりも就職が先、みたいな考えになってしまってる。

視《み》えてる世界がものすごく小さくなっているような印象があって、私たちの時代にはまだ経済が成長していたから、今こんなにフラフラしていても何とかなるっしょ、みたいな楽天性があったけど、今の子にはないのかな、と思います。だから日本に帰ってくるたびに、私は何か暗いものをすごく感じるんですよ。なんか陰気《いんき》になっているというか……。

出口、逃げ道がない日本社会の人生相談

鴻上　新卒一括採用というのは、世界に全く例のない日本の困ったシステムだと思うんですが、でも、昔はそこから外れても何とかなるだろうって思っていたのが今はもう……。貧乏でも生活保護はなかなか受けられなくて。日本は生活保護の受給資格のある人の2割しか受けてなくて、なのに受給者に厳しい目が向けられがちで、受ける

と恥に思う人がいて、もう本当に出口がない、逃げ道がない。そんななかで、追い詰められているという感じはすごくしますね。

ブレイディ　「人生相談」の悩みの内容も、やっぱりすごく暗いものとか重いものがありますよね。答える時にどういう点に気をつけていらっしゃいますか。

鴻上　僕自身は、あんなに多くの人達に喜んでもらえるとは夢にも思ってなくて。

ブレイディ　すごくいいですよ。熱いですよね。

鴻上　月刊誌「一冊の本」（朝日新聞出版）で連載してて、1カ月にだいたい3本書くんですよ。原稿用紙換算でおおよそ30枚ぐらいなんですけど、だいたい一日で書いちゃいますね。それがAERA dot.にも配信されています。

僕は40年間演劇をしてきたんですけど——例えば演劇そのものを漫画やドラマで仕立てると、多くの物語は、稽古《けいこ》でいろんなことがあったんだけど初日で仲直りしたとか無事に幕が開いたとか。だいたい、ここでエンドマークなわけです。だけど実際に演劇をやってる人間から言わせれば、そこから何ステージも、僕の場合は少なくとも30ステージくらいあるわけです。

そうすると、初日に仲直りして握手したけど10ステージ目くらいにやっぱりあいつは嫌だとか、やっぱあいつは許せないとかって怒ってくる俳優がいるんですよ。だいたい僕は全部のステージを劇場で見てるので、そうすると「鴻上さん、ちょっと話があるんだけど」と来るわけですよ。「じゃあ夜に、あんまり人がいないところに飲みに行きますか」と場をつくる。話してみると「あの人とはもう無理です」とか「もう我慢の限界です」とか言われるんですけど、でも現実問題として、あと10、15ステージ残ってるわけです。

そうすると「まあまあ、気の持ちようですから」とか「気にしないで」っていう抽象的なこと言ってもしょうがないので、「じゃあ、あの人は鰻《うなぎ》が好きとか言ってましたから明日芝居が終わった後、3人で一緒に鰻食いに行きますか」とか提案するわけです。同じ席に着いて、ポチポチ話せば、いろいろと妥協点《だきょうてん》は見つかるかもしれないし、そもそも、気分がほぐれるかもしれない。要は具体的で実行可能で些細《ささい》なことをアドバイスするしかなかったんですよ。

それを40年間ずっとやってきたので、僕にとってみるとなんでもないというか、普段の仕事の延長で答えているんですけど、その割には何か皆さんが評価してくれて自分としては実はすごく意外というか。あれっていう感じです（笑）。

ブレイディ　やっぱりそういう普段の仕事の延長としてお引き受けになった仕事なんですか？

鴻上　いやもともと、僕は『孤独と不安のレッスン』（だいわ文庫）や『「空気」と「世間」』（講談社現代新書）で、「世間」と「社会」――日本の社会に対して思うことを書いているんです。以前に僕の本に対してのAmazonのレビューを読んでたら、「これは原則としてはよく分かるけど、私は書店員でこういうモンスターなお客さんが来た時にどう答えたらいいんだろう。それを具体的に書いてくれていたらもっとよかったのに」という評があったんです。なので、それは頭の片隅《かたすみ》にずっとあって、こういう人に応《こた》えるように人生相談を始めましょう、ということになったんです。

ブレイディ　それでなんですね。本当に投稿者に向かって書いてらっしゃいますよね。投稿者に向かって書いていない人生相談もあるじゃないですか。でも鴻上さんは、すごく本気で相手に向かって書いてらっしゃるな、と思います。

なかには自分のために書いているというか、自分をプロモーションするため書かれた人生相談もある。そうだったら、この文句は入れないなっていうことも、鴻上さんははっきり書いてらっしゃるじゃないですか。そこがすごいなと思っていつも読ませていただいているんですよ。

鴻上　この人生相談は、一つ回答すると、その後に、似たような話がたくさん来るんですよ。でも、すでに一度答えているので、対処の仕方もほぼ似てしまう。例えば母親が〝毒親〟で困っているというような相談に、とにかくもう一緒に住んでちゃだめだとか、お金がないんだったら友達とシェアハウスしてもいいし、彼氏がいたら彼のところに転がりこんでもいいし、とにかく一回、親と一緒に住むのをやめませんか、と提案すると、その後からとても似た相談がくるんです。

ブレイディ　みんな、鴻上さんに聞いてもらいたいんじゃないですか。

鴻上　なるほど。確かに相談ってね、言うだけでちょっとホッとしますし、書くことで悩みも整理されますからね。

ブレイディ　相談を出すだけで、気持ちがすっきりするのかもしれないですね。

鴻上　もしブレイディさんのお母さんが人生相談に投稿するとしたら、うちの娘はもういくつになっても海外に行っては帰ってきて汚い格好をして、どうしたらいいですか、みたいな（笑）……。

ブレイディ　そんな相談がきたら、なんて答えるんですか？

鴻上　いやもう、子育てというのは「子供を守り育てる」ことではなくて、「健康的に自立させる」ことなんだから、成功したと考えていいと思いますよ、という答えですね（笑）。

ブレイディ　相談に答える時に、最も気をつけていることは何ですか？

鴻上　実行可能なこと——具体的で実行可能なことを、最後に手渡してあげたいと思っています。「気の持ちよう」とか「がんばれ」という言葉ではなく。

ブレイディ　「がんばれ」は多いですよね。

鴻上　がんばれるなら相談しないだろうと思うんですよね。だから、がんばれとか気にするなとか気合を入れろとかそういう精神的なことじゃなくて、実行可能な、でもすごく具体的なことをちゃんと伝えられたらいいなと思います。

若者に増えている言葉「そんなことしていいんですか？」

ブレイディ　さっきの話に戻るんですけど、日本は今、ちょっと暗いな、若い子たちがすごく内向きになってるんじゃないか、と思う時があるんですけれども、そういう閉塞感《へいそくかん》を感じている若者たちに、今、何を伝えたいと思いますか？

鴻上　いや難しいですね、本当に難しい。さっきの、僕らが喋った教育に関係してくることじゃないですか。

僕は40年ぐらい演出家やってるから、つまり自分が若かった頃から40年間、だいたいハタチ前後の若者とずっと付き合ってきてるわけですよ。この40年間で彼ら、彼女らの口癖《くちぐせ》で何が一番増えたかっていうと、「そんなことしていいんですか？」という言葉。昔は、「嫌です」とか「どういう意味ですか」なんて言葉だったんだけど、今は「そんなことしていいんですか？」に替わった。

　僕は今、若い奴らと「虚構の劇団」という劇団を一緒にやってるんです。入団試験に合格すると、その後、1年間研修生になるんだけど、最後に一人芝居を自分で作って発表するというのが最終試験なんです。客席数が100にも満たないような小さい劇場を借りて発表するんです。俳優志望でも、いろんな意味で芝居と出会うために、演じるだけじゃなくて音響や照明も経験してもらってるんです。

　これは前回の話なんですが……オペルームという、客席の一番後ろにある音響と照明を操作するためのブースがあって、そこに窓があるんですが、サッシの窓だから左右どちらかを全部開けるとどっちかが閉まる。それで、音響と照明が並んでブースに詰めているわけですが、2人とも生声を聞きたいから自分側の窓を少しでも広く開けようとせめぎ合ってるわけですよ。昔の教室の2人用の机の、これ以上境界線を出るな、みたいな争いです（笑）。で、「なに揉《も》めてんだ、だったら、サッシを外せばいいじゃん」と言って外したら、2人が同時に「そんなことしていいんですか？」って、驚いた顔で言うんです。「別に壊してるわけじゃなくて、窓を外すだけだから。その方がお互いにとって良いんだから外していいじゃん」と返したら、2人してなんか信じられない光景を見たっていう顔してるんですよ。

また別の芝居の時――今度は釣《つ》り竿《ざお》を芝居の小道具で使うんですけど、100均ショップで買ってきた釣り竿があってね、でも長すぎるから俳優は上手《うま》く扱えないわけ。「それなら切りゃいいじゃん」って切り始めたら、またその小道具の若いスタッフが「そんなことしていいんですか?」って驚くんですよ。「許されたこと」しかしちゃいけない、という思考が染みついてて、何が許されることなのか、というところからしか考えが始まらなくて、枠《わく》そのものというか、構造そのものを疑うということができないんだと思います。

これ、僕は、小学校、中学校、高校の「校則」の刷り込みが大きいと思ってるんです。

僕らが学校に行っていた時は、ふざけんな校則っていう――前髪が眉毛《まゆげ》にかぶさっちゃいけない、耳が隠れちゃいけない、靴下はワンポイントまでとか、そんな校則に、馬鹿《ばか》なこと言ってんじゃねーよ、という反発があった。それが今は、髪の長さも、リボンの色と幅も決まってるのは当たり前で、疑うことではない、というところで思考が止まっている。

ブレイディ　いつからそんな風になったんでしょうね。いつ頃から、そういう言葉が増えてきたんでしょうか？

目的化して走り続ける「校則」

鴻上　分からないですね。今日、Ｔｗｉｔｔｅｒで内田樹《うちだたつる》さんが「大学がこんなことになってしまったのは、１９６０年代から70年代は過激派の学生を撲滅《ぼくめつ》するために、大学をちゃんとコントロールすることが目的だったんだけど、80年代に入ったら、過激派の学生なんて一部の大学以外ほとんどゼロといっていいぐらい、いなくなった。だけど、大学の『管理する』という言葉が自己目的化してしまって、とにかく管理する条項が増えていった」ということをつぶやいていて、これは結構、真実に近いと思うんですよ。

つまり昔は校則をちゃんとつくらないと学校が荒れるんだ、と考えられてたんだけど、今、（１９８０年前後がピークだった）校内暴力はほとんどない。不良同士がどこかで大喧嘩《おおげんか》してます、なんて話もめったに聞かなくなったのに、校則を守らなきゃいけないという考えだけが目的化して走り続けている。

ブレイディ　走り続けているのを、止めることはできないんですかね。

鴻上　一部の教師と自覚的な保護者は止めようとしてますよ。止めようとしてるんですけどね……。

ブレイディ　どこかで止めないとね。

鴻上　本当にそう思います。ただ、ちょっと前に、「鴻上さんのファンだったのですが、教師である私は、鴻上さんが学校の校則に文句ばかり言うと、自分が責《せ》められているような気持ちになるので、もうファンをやめます」とTwitterで呟《つぶや》かれたことがあるんです。申し訳ないなと思います。戦場の兵士を責めてもしょうがないわけで、やっぱり戦争そのものを生んだ上層部の責任を問わなきゃいけないわけですよね。
でもこうやってブレイディさんの、『ぼくはイエローで～』のような本がちゃんとたくさん売れていくことで、教育で大切なのは管理することではなく、自分の頭で考える力を伸ばすことなんだ、という当たり前の考え方が広がって、少しずつ変わっていけばいいなと思います。みんな仲良く、とばかり言ってる場合じゃないと思うんですよね。やっぱりみんな子供を持つと真剣になるじゃないですか。

ブレイディ　そうなんですよ。

鴻上　「子供達が水筒を勝手に飲まないよう教育されている」という話をツイートしたら、拡散して700万人が読んだんです。普段だとそんな数字は出ないので、やっぱり親御さん方は子供の健康の問題だから、本気になったんだと思います。学校の運営とか生徒の管理だとか、そんなこと知ったこっちゃない。自分の息子が脱水症状になって倒れたら……本当にこれは譲れないことなんだと考えることが当たり前になったら、日本人も日本の教育に対して、踏ん張れるような気がしますけどね。

ブレイディ　子どもを持つと社会について考えるようになる——これ、日本のすごくいいところというか不思議なところ……全然イギリスとは違うとこなんですけど、イギリスだったら保育園は、自分で選ぶ。でも日本の場合は、たしか区かなんかで分けられて……。

鴻上　入れるとこはだいたい決まってるんですよ。認可保育園の場合は、自治体がまず選考します。その場合の長所もありますけどね。

異なる環境の家庭が触れ合う日本の保育園

ブレイディ　そうなると、イギリスとは違ってミドルクラスの子どもと、貧困層の子どもが分かれないことになる。ベンツに乗ってくるようなお母さんとママチャリに乗ってくるお母さんが普通に同じ保育園に交ざってる、ということなんですよ。

それは日本の素晴らしいところで、そういう環境こその学びがある。そこで親たちも、自分とは違う環境というか階層というか……イギリス風に言えば、違う階級の人たちと触れ合うわけじゃないですか。そこで自分とは違う別の環境の家族を知って社会のことを考えるようになる。そういうところは私、日本はすごくいい環境だと思うし、子どもを持つとそういう機会を得ることになりますよね。

鴻上　そうですね。普段では絶対に交わらないというか、会話しない人達と話すことになりますからね。

日本の場合、公立中学までは、だいたいそうでしょう。公立の中学だと、金持ちのボンボンから貧困層まで、みんな一応集まる。高校になったら学力で選別されるようになりますけどね。日本も今は、子供の学力が親の経済力にかなり影響されるようになってきたわけですよね。

格差がはっきりしているイギリスの階級社会というのは、ミドルから上の人達にとってはいいんだろうけど、その社会制度の影響をモロに被《こうむ》ることになる労働者階級や移民の人達にとっては、生活は結構ハードだろうという気がしますよね。

ブレイディ　だからイギリスでは、どうしてもワーキングクラスから政治家になる人はいない。ミドルクラスから上の階層の人々が首相になったり、国を動かす立場になる。そういう人たちが労働者階級とか、いわゆる地べたの世界を知らないというのは、結構致命的で、そこにすごく乖離《かいり》が生まれてしまいますよね。

鴻上　でも日本の政治家だって結局、二世議員が増えてきていますからね。初めて選挙に立った時の街頭演説でいきなり「下々の皆さん」って言った人がいるわけですからね。ちなみにこれ麻生太郎《あそうたろう》さんという人ですけど。金持ちの二世だと、まさに「地べた」の世界を知らない人が政治家になるんだと思います。

ブレイディ　社会はおかしい方向に行って揉めだしますよね。国の中も政情が不安になってきて。イギリスのEU離脱もそういう要因はかなりあると思います。

鴻上　しかし、EU離脱はどうなるんでしょうか、大丈夫なんですかね。

ブレイディ　これからやってみないとわからないですけどね。でも、3年半もごちゃごちゃ揉めたじゃないですか。だからEU離脱疲れというか、国民は疲れてる。

トニー・ブレアはEU離脱に反対して残留派を率いていましたけど、他にもいろんな考えの残留派の方々がいた。もう一方の離脱派の中にもこういう離脱はいいけど、こういう離脱はいけないとか……ハードもソフトも国じゅうで色々揉めた経緯があるんで、もうこうなったからには、できるだけ条件の良いEU離脱になるようみんなで協力していこうと、今、ようやく言い出しています。

今、ジョンソン首相でハードブレグジットにいこうとしてるでしょう。メイ首相のほうがまだソフトでしたからね。特に左派同士がすごく揉めてた部分があって、残留派同士ももっと早くに小さな違いを乗り越え協力していこうって言い出していたら、最悪の事態は防げたかもしれないと思ったりしますよね。

鴻上　2020年1月28日のトラファルガー・スクエアにEU離脱派の人々が集まって、みんなすごく興奮している様子がニュースになってましたね。ユニオンジャックを振りながら、「Get court back」と叫んでました。

ブレイディ　俺たちの法律でやっていく、ということですよね。「裁判所を取り戻せ」と、これ見よがしに首相官邸がユニオンジャックを映し出して。すごくシュールでしたよね。本当にハードブレグジットをやるんだなってね。

鴻上　どこの国でも言えることだと思うんですけど、苦しい時に国旗振ってこれで助かろうと考えるのはあんまり良いことじゃないなって思いますね。どこの国の国旗だろうが、そんな大きなものに自分を重ねて自分が救われると思うことはとても恐ろしいことのような気がします。

ブレイディ　どうなるのか、わからないですけどね……。鴻上さんは、どんなお子さんだったんですか。

「みんな一緒に」という慣習

鴻上　僕は両親とも小学校の教師でした。たぶん、学校の先生の子供あるあるだと思うんですけど、学校の先生というのは、理想を語る。特に僕の両親はちょうど戦後の最初の世代で、「民主主義の新しい憲法のもとで、日本は生まれ変わるんです。民主国家、平和国家になるんです」という教育を受けてそのカリキュラムで先生になったので、熱く社会正義を語っていましたね。それがたぶん、今の僕の基礎を作ってるという感じはします。

例えば僕は、愛媛の10万人ほどの街で育ったのですが、朝の6時と夕方5時に地区の公民館から音楽が流れるわけです。夕方は別にいいんですけど朝6時にも流すことに父親が、「夜に働いて寝てる人もいるだろう。大きい音を聞いたら間違いなく目を覚ますだろう。それは悪い意味でそれぞれ個人を尊重していない」と。つまり、一律にやるのはおかしいということを父親は言うんですよ。

子供心にそうだと思いましたね。地方都市でもタクシー会社もちゃんとありますからね、夜の勤務のタクシー運転手さんや、飲み屋で夜働いている人が朝6時に起こされるのは間違ってると思うし、それをみんなと一緒にしなきゃいけないと強制するのは絶対おかしいぞと思ったんです。ちなみに、いまだにその放送は続いてます。もう何十年もですね。

　都会だと夕方の放送はあっても朝の放送は無くなってると思いますけど、ちょっと地方に行くと、「みんな一緒に」という慣習は、いくらでも残ってますよ。これはおかしいなと思う理不尽や不条理に、すごく敏感になる育てられ方をした子供でしたね。

ブレイディ　それが今の鴻上さんにつながってるんですね。

鴻上　おかしいことはおかしい、と考えてきましたから。ブレイディさんみたいにイギリスに脱出しなかったから、日本の「世間」にガンガンぶつかってきたんです。例えば、先輩後輩というルールも僕は全然納得できなくて。要はロクでもない先輩ほど先輩風を吹かすじゃないですか。でもいい先輩は絶対に先輩風吹かさない。

そうすると、いい先輩へは自然にリスペクトができるけど、ロクでもない先輩ほど自分に従わせようとするからリスペクトできない。でも従わないと、怒られるか、無視されるか、意地悪《いじわる》される。嫌でしたね。

それから、無意味な校則に関しては、本当に中学校から闘い続けましたね。

ブレイディ　無意味な校則、多いですよね。

鴻上　ほぼ全部、無意味です。アメリカでナイフを持って来ちゃいけないとかドラッグを持ち込んではいけない、という校則には意味があると思いますよ。露出がありすぎる下着姿を禁止する校則というのも聞いたことありますけど（笑）。

日本だと、リボンの幅だの髪の長さだのを決めるのは全く無意味。中学校の時、それをなんとかしようと闘ったけどダメで、高校入って、やっぱり変えたいなと思ってました。そう思った一番の理由は、要は学校の先生を尊敬したいし信頼関係を築きたいわけですよ。

だけど例えば、僕らの高校は女の子のストッキングは黒色しか認められていなかった。肌色のストッキングはダメだと言うわけですよ。でも隣の高校へ行くと肌色がOKで黒色はダメだと言うわけですよね。理由を聞いても先生から納得できる答えなんか聞けないわけですよ。その学校の生徒会長は、生徒指導の先生から黒は娼婦《しょうふ》っぽいからだと言われて。じゃあ僕らの黒ストッキングがOKの高校は、全部娼婦かという笑い話みたいな会話を生徒同士でしました。

信頼関係を築きたいしリスペクトしたいのに、そんな愚《おろ》かな発言されると生徒達はどんどん学校を見くびるし、先生のことも見限っていく。だからお互いにとって損ですよって、僕はずっと主張してたんだけど全然変わらなかった。

だから高校時代、自分が生徒会長になって、近くの高校の友達に生徒会長になるよう説得して、県内の生徒会を訪ね歩いて学校に内緒で「愛媛県高校生徒会連合」っていうのを作ったんです。政治も宗教も何も関係なく、とにかく高校生が集まって無意味な校則や、ポジティブに言えばお互いのいろんな学校行事の良いところを紹介し合う連合を作ったんですけど、僕が卒業する時に学校にバレちゃった。それでわずか一年で潰されてしまった。

だから、いまだに無意味な校則の話に触れると、ちょっと我を忘れて熱くなります。分かりやすく大人《おとな》げない態度をとってしまいます（笑）。

ブレイディ　でも日本はそういう根拠のない無意味なルールを作ろうとする人で、社会を維持してるんでしょう。

ＢＢＣが取り上げた無意味な日本の校則

鴻上　もともと日本人は、お互いに知ってる人間達で作った「世間」という空間で長い間、機能してきたわけです。一方、お互いに知らない人間達が集まる「社会」に対してはは無視していた。繰り返しになりますが、旅の恥はかきすてという考え方だったんです。でも例えば社内でしか通じないルールだけで運営してきた大企業はやっぱり続々と倒産したり、吸収合併されたりしているわけです。自分達のルールを守っているだけじゃダメなんだということに気づいた企業が今、生き延びているわけですよね。

学校も、大きな組織だから自分達の「世間」のルールでやっていけると思い込んでる。でも今は日本にもいろんな国の人間が入って来る時代。日本人の価値観も多様化しているから、押し付けるだけの校則では反発されるのは当然でしょう。
　この前、BBCが日本の「不登校」問題を放送してました。番組では、不登校の理由の一つとして無意味な校則が大きいと挙げていました。友達は「あだ名」じゃなくて「さん」付けで呼ぶようにとか、ランドセルに入れるペンシルケースの色は単色でなきゃいけないとか、水筒の中は水とお茶でスポーツドリンクはダメだとか、過剰に厳しい校則がいっぱいあるからだと。

ブレイディ　そんな校則あるんですか。

鴻上　すごいですよ。もう何それって笑っちゃうような校則は山ほどあって、それが実は日本の不登校の原因になってるんだと、BBCがニュースにしている。昨日会った編集者に聞いたんですが、「娘が中学校で不登校なんですけど、それはいじめられてるわけではなくて、とにかくその学校の雰囲気が嫌で、アレをしちゃいけないコレをしちゃいけないと禁止事項ばかり言われて、もう息が詰まるから私は行きたくないのって言われて僕は納得してるんですよ」と。

だから、もう今までやってきたルールのままでは無理なんだということに気づいた人と、いやいやこれで、とりあえずやれてるから無理に変えなくていいんだって現状維持を望んでいる人のせめぎ合いが続いていると僕は思ってます。だから『ぼくはイエローで～』を読んでもらって、ほらほらやがて日本も間違いなくこの世界になるんだから、この多様性の試行錯誤を理解して対応できるようになりましょうよ、と言いたいんですよね。

道徳の授業がカリキュラムに入ってくるのは嫌だなと思ってたんですけど、小学校では移行措置を経て、2018年から完全実施されて、中学校では2019年から完全実施されたんです。日本の道徳の授業が、さっきの話のシチズンシップ教育のようなものを採り入れていたらいいんですけど、「他人に迷惑をかけないように」とか「他人を思いやる心」とか、「社会」ではなく、「世間」とのつきあい方を尊重する方向になっているので心配しているんです。

以前にアメリカの授業でとてもいいなと思ったのが、「tattle」と「telling」――つまり、「つげ口」と「言わなきゃいけない情報」の違いについて、ちゃんと授業に組み込んでいる。例えば友達が教科書に落書きをしているのを先生に言うのはtattle＝つげ口だと。だからこれは無理に言う必要はないと学校が教える。でも友達がナイフを持って来てることを伝えるのは、つげ口ではなくtelling＝言わなきゃいけない情報で、先生に言うべきことなんだと。ものすごく具体的で、実行可能なルールだと思います。子供達は、「つげ口」したと周りに思われることをとても嫌がりますからね。でも、それは「大切な情報」で「つげ口」じゃないと明確なガイドラインを教えるわけです。

さっきの「シンパシー」と「エンパシー」の違いについての問いに通じますよね。平気でナイフを持って来たり、銃を隠して持って来る生徒もいるようなアメリカの状況に対応するために、絶対に必要なことと、そうでないことを分けましょうという指導ですよね。現実への対応能力を育てる教育って大切だなと思うんですよ。

ブレイディ　結局、多様性というのは対応能力の問題にすごく関係してますよね。先ほどの、意味のないルールにガチガチに縛られている企業は結局倒産して、よそには違うルールがあることに気づく企業が生き延びていける、という話はやっぱりそういうことなんですよ。

違うルールを持った人たち……結局、宗教対立とかもそういう問題じゃないですか。違うルールを持った人たちが一緒に生きていく。違うルールを信じた人たちも一緒に生きていく。自分の信じているルールだけが全てではない。そのなかで、じゃあこういうルールもあるんだねって、それこそ、その人たちの靴を履いてみて考えるなかで、まあ違うんだけど、でもここまでは譲れるかなとか交渉して一緒に折り合っていけるのは、それこそが多様性のありよう。

無意味なルールをいつまでもせこせこ守って自分たちだけの世界に閉じこもってばかりいると、それは自由や正義の問題じゃなくて、生き残っていけないよっていう問題だということが、今、日本ですごく問われているような気がします。

コミュニケーション力とは、物事が揉めた時に何とかできる力

鴻上　どれぐらいみんなが理解しているかどうか、ですよね。ある出版社から小学校国語の教科書にコミュニケーションをテーマに原稿を書いてくれって依頼があったんです。

そこで、コミュニケーションがうまいということは、物事が揉《も》めた時に何とかできる能力がある人のことだと書きました。でも日本人は、誰とでも友達になれるとか、割と簡単に人間関係を築ける人のことをコミュニケーションがうまいって思っているんですよね。

ブレイディ　多様性があるとすごく揉めるんですけど、それをどう折り合いをつけてやっていくか、という力が問われる。いつまでも自分たちの中でだけ通用するって言ってても、ダメなんですよ。

鴻上　でも私達日本人は「世間」にしか生きてこなかった。一生、同じ「世間」に生きられれば、問題はなかったんです。でも「世間」は明治以降、中途半端に壊れていって、セーフティネットにはならなくなった。価値が急速に多様化し、仕事で外国の人達と接することも増えてきた。
本格的に「社会」の人達との会話が増えてくるわけだから、揉めた時に何とかできる力をつけるよう、練習しなきゃいけないいんだけど、今日本の学校でやってることといえば、リボンはみんな同じ幅に揃《そろ》えましょうね、色はこれですよ、ということばかりです。
笑ってしまった人生相談の投稿があったのですが、リボンの色は黒・紺・茶に決められていて、白は校則違反になる。高校生が先生に「なんで白はダメなんですか」と聞いたら、「目にちらつくから」という答えが返ってきたと。ちょっと想像を超えた世界ですよね。

ブレイディ　目にちらつくって……。

鴻上　先生も一生懸命、答えを考えたんだと思いますよ。「校則は変えられない」という前提は守るしかないから。もう、教育の世界の話じゃないですよね。

ブレイディ　屁理屈《へりくつ》以外の何物でもないですね。

鴻上　先生は、自分の責任で校則を変えられないし、変えてはいけない。変えられないという前提で、でも生徒に何か答えなきゃいけない。黒・紺・茶が校則で決まっていて、白は校則違反。白だったら紺よりもちらつくだろう、と無理やり捻《ひね》りだしたんでしょうね。

ブレイディ　それ、安倍晋三《あべしんぞう》首相（当時）が言ってる屁理屈とよく似てるじゃないですか。結局、社会への信頼が足りないって、そういうところに起因するんですよ。そういう屁理屈を言ってる教師の思考って、同じじゃないですか。

鴻上　そう、本当にそうです。

ブレイディ　政治家もそうなんですよ。そういう人たちが教師であり政治家である社会を、子どもたちが信じられるわけないじゃないですか。やっぱり教育と政治、つながってますよね。

高校生を大人扱いできない日本社会

鴻上　イギリスの演劇学校に行くことになって、どんな授業があるか見学に行った日、ちょうど選挙期間だったんです。そうしたら、先生が生徒に向かって「我々としては労働党に投票してもらいたい」「労働党はこれだけの補助金をこの学校に出している。保守党になった場合はこの補助金が大幅に減ると発表されている」と。強制でなく、「この学校の教育条件を守るためには、我々としては労働党に投票してもらうことをお願いする」と生徒達に訴えている。高校か大学を出たばかりの18～22歳前後の生徒に対して当たり前のように訴えている風景にものすごい衝撃を受けたんですよね。

ブレイディ　そう感じますよね。

鴻上　日本の学校で同じことをしたら、大騒ぎになるでしょ。「先生が特定の政党に投票しよう」って言っていいのか、とね。いやでもね、何がすごいって、先生が生徒をちゃんと大人扱いしていることです。

ブレイディ　そうですよね。

鴻上　強制でも威圧でもなくて、「こういう利点があるから頼む。でもジャッジするのは君達だ」という、大人扱いですよ。でも日本の場合、18歳から選挙権を持つことになった時に……これは僕の故郷の愛媛県で起こったことで、僕はすぐ怒ったんですけど、県の教育委員会が「18歳から投票できます。だからみなさんも大人です。ついては政治活動や政治集会に参加する場合は学校に届け出をしてください」という通達を出したんです。全く大人扱いしてない。つまり生徒個人の思想信条を全部、学校に報告しろ、ということなんですね。そんなこと大人に言えるわけないでしょう。結局、子供だ子供だって、ずっと子供扱いし続けて、そして「いつまでも大人にならない」と嘆《なげ》いているのが日本の学校で、そんな教育で大人になれるわけがないと、怒りを覚えます。

「常に、より上位の目的を考える」

鴻上 先ほど話した麴町中学校の校長先生が書かれた本で、これはいいと思ったのは「常に、より上位の目的を考える」という言葉です。つまり今、何が一番大事なことなのか考えましょう、ということ。生徒のことを考えたら、リボンの色を制限することが「より上位の目的」にはならないわけです。一番大事なのは、学校なんだから、やっぱり勉強することが上位の目的になるんです。

勉強するという視点から考えれば、リボンの色を決めることがどれほど意味があるのか、考えてみましょう、と。常に何が今、一番大事なのかを考えなさいというのは、とても現実的で、良いアドバイスですよね。世界に向けて発信すると冗談としか思えないような会話がたくさんあって、でもやっぱりそれは学校の教育が内向きに閉じているからだと思うんですよ。

ブレイディ　そうですね。

鴻上　もし女子社員は白のリボン禁止という会社があったとして、その理由を「目にちらつくから」と会社が答えたとしますよね。会社の答えを女子社員がＴｗｉｔｔｅｒでつぶやいたら、あっという間に世界に広まって……分かりやすくはっきり結果が出ることになる。バカなオーナー会社と笑われるか、イメージダウンして営業成績に響くか。

学校が閉じてるという状態は、一番の問題ですよね。僕は何で校則のことになるとこんなに熱くなるかというと、先生への信頼ということはもちろん、そもそも、学校の教育現場は人を育てる場所なわけですよ。人を育てる場所なのに、人間を潰してどうするんですかって強く思いますよ。特に学校の特色について選ぶ余地がある私立じゃなくて、地域の子がエリアの区分けで入学することになる公立中学でそんな無茶《むちゃ》なことを言うのは、余計に許しがたい。

イギリスの演劇教育

ブレイディ　コミュニケーション能力の問題も大きいですね。結局、コミュニケーション能力について私がとても大事だと感じたのは、貧困家庭とか、問題がある家庭の子どもたちが通っている託児所に勤めていた時に、虐待を受けたり育児放棄をされたりした子どもって、感情を伝える回路がちゃんと発達してないというか、発達がちょっと遅れてるケースがあるんです。

自分からコミュニケートできないし、人の気持ちも読めない。例えばすごく暴力的だったりもします。悲しそうな顔をしているから悲しいんだろうっていう、想像する力がちゃんと育ってなかったりするんですよ。それをイギリスがどう対処しようとしているかというと、ひとつには保育や幼児教育の段階で演劇的な要素を積極的に採り入れている。例えば壁に笑っている顔と泣いている顔、怒っている顔の写真があって、これはどういう時にする顔かなって、幼児に見せる。じゃあみんなでこの顔をやってみようかって、演じさせる、アクトさせるわけですよ。

それが中学生になれば、演劇の授業がある。公立でも、授業のカリキュラムの中に組まれています。演劇の科目があるわけですよね。でも演劇教育は、日本にないんですよね。やはり演劇教育は、日本もやるべきだと思うんですけど。

鴻上　それはもう演劇人はずっと、何十年も言ってますね。だって国立の東京藝術大学に演劇科がないわけです。東京藝大という、いわゆるこの国の芸術を代表する官製の大学に音楽と美術はあるのに、演劇だけがないんです。それはもうダメですよね。昔は……僕らの時はまだ戯曲《ぎきょく》が中学校の教科書の国語にあったけど、今はないですね。その頃は授業で上演もしてたんです。だからブレイディさんの本の、演劇の授業のくだりを読んでて、うらやましいなと思いましたね。

でも、もうひとつ『ぼくはイエローで～』を読んで思ったのは、親もちゃんと腹括《くく》んなきゃいけないということですね。ブレイディさんの息子さんと友達が学校で、アラジンのオーディションを受けた。主役ともうひとつの役で二人とも受かった。それはたまたまその二人が熱心にやってたからなんだけど、きちんとオーディションして主役と相手役を大勢の生徒の中から選ぶっていうことを日本の親も納得しなきゃいけないわけです。
日本の幼稚園・保育園や小学校では、例えば主役の赤ずきんちゃんが10人、狼《おおかみ》も10人出てくる、なんて配役をされたりするんです。みんな平等に演じさせますっていう指導は、逆に演劇って面白くないって思ってしまうでしょうね。100mの徒競走で、1等から6等まで出るのは当たり前と考えるように、演劇もオーディションをして上手《うま》い生徒から残念な生徒まで選ぶのが当たり前という考えが、一般的になればいいと思います。

ブレイディ なるほど、そういうことですか。でも、別に役者を育てるために演劇教育をやってるわけじゃないですよね。人とコミュニケートする時に自分の考えていることをいかに的確に伝えるか。その表現法を学ぶためで。それって大事じゃないですか。それができないと、多様化する社会で、自分の言いたいことが言えないし、うまくわかってもらえない。

鴻上 はい。コミュニケーション教育は、本当に日本人に必要だと思います。日本の場合は、自己主張しないまま二十歳を迎えてしまう若者が、欧米に比べてとても多いと感じます。

例えばずっと「いい子」で育ってきた子達が大学の就職活動の時期に、はたと困って自分がいったい何をしたいのか分からないって悩むこと多いんです。そういう若者達から相談が結構くるんですよ。小中高……大学の入学までも含めて親の言うことを聞いて、親が顔をしかめない選択をしてればとりあえず生きていける。だけど就職活動に関しては親はあまり口を出さないんですよ。

大学までは自分が全部経験したことだからいろいろ言えるんだけど、ネットでエントリーシートを出すような今どきの就職活動がどうなっているかは分からないから、ここで親がぱたっとアドバイスをやめるんです。その代わり就職した後はまた親の価値観であの企業は評判良くないんじゃないのとか、干渉《かんしょう》し出すんですけどね。

今までずっと親の顔色をうかがってきたのに、ぱたっとアドバイスがなくなる。そうすると、自分が本当にしたいことが分からないっていう疑問にぶつかるんですよ。「いい子」であればあるほどね。

日本も演劇教育はやるべきだと思うんです……まあ僕は演劇人な分だけ「演劇教

育」と言うと、ちょっと手前味噌《みそ》すぎて恥ずかしいから「表現教育」って言ってるんですけど、言いたいことは同じです。「演劇教育」って言うと、「学芸会をやれってこと?」とか「公演しないといけないのか?」と思われたりするので、「表現教育」とか「コミュニケーション教育」なんて言い方をしたりしますが、目指すものは同じです。

それこそ授業のなかで、表現教育でいろんな役（立場）をやらせてみる。「親」と「親に反抗する子供」とか「わがままな先輩」と「大人しい後輩」とか。先輩から怒鳴られる役をやると、演技なのに、こんなに心が張り裂けそうになるのかと、他人の痛みを知る体験ができる。だから本当にやんなきゃいけないことなんですよ。それを演劇関係者じゃないブレイディさんから言ってもらえるのはとても嬉《うれ》しいです。

ロールプレイとは、エンパシーのこと

ブレイディ　私も、日本も本当にあれはやるべきだと思ってます。

ロールプレイ（役割演技）の話といえば、最近上映されてた、坂上香《さかがみかおり》さんっていう

女性の監督の「プリズン・サークル」というドキュメンタリー映画を観《み》ました。島根にある刑務所の中にカメラを持ち込んで、TC（セラピューティック・コミュニティ）というプログラムを受刑者が受ける様子を撮影した映画です。イギリスやアメリカではよく採り入れられているプログラムなんですけど、受刑者の方々が輪になって座って、そこで自分の体験を語っていく、更生プログラムなんですよね。そのプログラムにロールプレイが組まれている。

参加者は受刑者だから、みんな加害者なわけじゃないですか。一人の受刑者はそのまま加害者として、それで他の受刑者は被害者の役を演じるんですよ。例えば強盗した受刑者は加害者として、別の受刑者は強盗された家のお母さんの役を演じて、「あたし怖くてあれから眠れないんですよ」と話す。それで加害者は、やっと自分がしたこと……自分の罪と向き合えるようになるというか……結局はみんな泣き出すんですよ、被害者役の人たちも。彼らも被害者を演じることで、自分がしたことについて被害者の気持ちを考えている。

だからね、ロールプレイって、まさにエンパシー。それって人の靴を履いているわけじゃないですか。とても感動的な映画でした。演劇を通して、コミュニケートするっていうことを学ぶ。とても大事ですよ。

鴻上　演劇人が言うとなんか手前味噌だと思われて、受け入れられにくいんですよね（笑）。

ブレイディ　演劇の授業は、別に役者を育てようとしているわけじゃなくて……みんなが自分のことを言えるということは、他者が言っていることも理解できるようになるということなんですよ。その営みは相互のことだから、コミュニケーション能力を鍛えるのに演劇ほど役に立つものはないですよね。

鴻上　その通りです！

ブレイディ　だから国会中継なんか見てれば、どう考えたってイギリスのほうが面白いじゃないですか。

鴻上　イギリスの場合は、議会で議長に指名されれば議員が誰でも発言しても構わない時間帯があるじゃないですか。つまり首相が、のんきなことを言ったとしたら、あちこちからいろんな意見が飛んでくるでしょう。でも日本の国会はもう質問する人と答弁する人が決まっていて、質問の内容までも事前に答弁する側に提出されている……もう出来レースと言っていいでしょう。他の議員は参加できず、席に座っているだけ。できるのはヤジを飛ばすぐらいで。だからそのシステムがそもそもダメですよね。

ブレイディ　でも、そもそも日本の政治家は、イギリスの議会みたいにあんなに演劇的に、他者を説得するための表現力とか話法とか駆使《くし》して喋らないじゃないですか。日本の国会中継を見ていても迫力も抑揚《よくよう》もなくて、書類を棒読みしている感じだから論点も伝わらなくて、議員もいやそれは寝るだろうなと思ってしまいます。私、イギリスに行って驚いたことの一つが、国会中継ってこんなにエンターテイニングだったのか、ということでしたもん。

鴻上　それ、いっぱい言ってください（笑）。いやいや本当に。でも授業に演劇を採り入れようという提案があんまり広がらないのは、先生方がうまく指導できないという理由もあるんです。僕は頼まれてしばらく小学校でワークショップをしたことがあるんですが、その時にまず、全員のお互いの顔が見えるように円になろうぜって言うんだけど、小学校の低学年だったら、それだけで5分近く時間がかかる場合があるんです。でも別にそれでいいんです。円になってお互いの顔が見えるポジションがどこかっていう位置はそれぞれが発見してくれればいいわけだから全然構わない。うかうかしてると6年生ぐらいでも1、2分かかる。

小学校だと、「じゃあ円になろうぜ」って言ったら、こっちが男子生徒、こっちが女子生徒とパッと二つの半円に分かれるわけです。そのまま、グダグダしてることも多いです。そうすると担任の先生が強い口調で「ほらそこ、ちょっと下がって、そこ前に出て。横の顔見えないだろ。もっとこっち来て」と全部指示してから、「はいどうぞ」と僕に渡すわけです。いやいや、それではワークショップをやる意味がなくなります（笑）、ということなんです。先生に指示された瞬間に、もう子供達の顔は凍りついてるわけですよ。これはちゃんとした、円になるための授業なんだな、という緊張した雰囲気になる。

そこを子供達に任せると、前に出すぎて気づかないヤツがいる。でも周りの視線を感じて、ぱっと見たら後ろに輪ができている。自分が遮《さえぎ》っていることに気づいて、あっいけないと位置を戻す……というふうに、円になること一つでも他者を発見する作業なんです。そのためには、先生は適度な時間待たなければいけない。でもあんまり待ちすぎて子供達が飽きるようなら的確な指示を出さなきゃいけないっていうその案配は、技術なんです。でもそういう指導を先生達が経験してないと……。

だいたい中学校にしても、行ってみると「整列！」と言われて生徒達がびっしりと並ばされてるんですね。そんな雰囲気のなかで「今から表現の楽しさを勉強します！」と言われてもね……だから僕がまず最初にすることは、「肩の力抜いて座ろう。軍隊じゃないんだから」と話しかけて緊張をほぐすことから始めるんですね。だから大学の教職課程の中にまず演劇の授業を入れてもらえるといいんですけど。道は遠いですけど、あきらめないで、ずっと演劇界として言い続けてるんです。

ブレイディ　演劇はぜひ日本の学校でもやるべきですよ。日本でこれをやるべき、あれをやるべきって言ってきましたけど、日本のいいところはどういうところだと思いますか。

日本は安全で便利な国

鴻上　日本のいいところですか。そうですね、社会に対する信頼が薄いけど、やっぱりまだ、安全な国ですよね。

ブレイディ　それは絶対そうですよね。

鴻上　ロンドンの郊外のフリンジと呼ばれる小さな劇場で芝居を観た後、夜、道に迷って独《ひと》りで歩いている時に後ろから、パーカーで顔を隠した大男がひたひたとついてきた時はさすがにちょっと背筋《せすじ》が寒くなりましたね。

僕はNHKのBSで15年目に入る「COOL　JAPAN」という番組の司会をしてるんです。COOL　JAPANってタイトルの割には、〝Not cool〟な日本というテーマを定期的に特集するんですね。日本を知るためには、日本を礼賛《らいさん》すればいいというんじゃなくて、日本の嫌なとこについても、外国人の出演者達にいっぱい言ってもらう。でもある回で、「日本の会社は規則が厳しいだの飲みに行かないと会社の人間関係から弾《はじ》き飛ばされるだの文句を言ってる君達は、なんで日本にいるの？」と聞いてみた。そうしたら、「だってものすごく安全なんだよ」って言ってましたね。

それから「客としてはこんなに天国な国はない」とも。だから自分の国で働いて、日本で客になるのが絶対いいと。間違っても日本で働いて自分の国で客になったらダメだと言うんですよね（笑）。

ブレイディ　でも今は、日本は賃金が安すぎるし、海外は物価が高すぎるんで、どちらにしてもそれはできないかもしれないですよね。

鴻上　そうですね。日本は安全で、それからお客さんにとっては天国……あとはもちろん食べ物もおいしいし便利だし、世界中で夜中に電球や乾電池が切れた時に手に入る国は日本だけ……っていうのはあるんですね。

まあでも、別に絶望してるわけでもなくて、こうやってブレイディさんと喋りながら少しずつ変わっていけたらいいし、変えたいと思ってるんです。

例えば学校の校則について、僕はその理不尽さと無意味さをずっと言い続けてたら、人生相談で女性の先生から、ツーブロック（サイドから襟足《えりあし》にかけて刈り上げをしていく、上部の髪の毛と下部の刈り上げ部分がつながっていないヘアスタイル）禁止の校則を変えたという投稿が来ました。でも、その後、30代後半の男性教師から「ツーブロックはあかんやろう」と潰されてしまったと続いてました。その男性教師が反対する理由が、高校生らしくないっていう……。

ブレイディ　それもまた、ものすごい主観的な。その基準はどこからきてるんだ？

鴻上　この投稿について僕がＴｗｉｔｔｅｒでつぶやいたら、すぐに「ホテル業界ではツーブロックは清潔さの象徴の髪形です。だからツーブロックをよく勧めます」と返信ツイートがあるわけです。

投稿してきた20代の女性の先生は過去の人生相談で校則に関する僕の回答を読んで

いて、初めて自分が生活指導の担当になった時に、ツーブロック禁止はもう解いていいんじゃないですかって働きかけたわけです。で、一度は、禁止する何の根拠もないので、許可になったのに、その後、30代後半の教師に潰されたんです。こうやって一進一退を続けながら、少しずつ、前進していくしかないと思ってるんです。粘り強く、一つ一つを考えながら。

ブレイディ　これは必要だけど、これは要らないでしょっていう判断ですね。

鴻上　そうです。ナイフを持ち込んじゃいけないっていうのは絶対必要な校則なんだけど、リボンの幅は自由でいいでしょうと、粘り強く変えていくしかない。でも、いまだにこういうことをがんばんなきゃいけないという日本はなんというか……ポジティブに言えば平和な国ですよ（笑）。

ブレイディ　そうですよね。まだ平和なのかもしれないですね。

人を罰するよりも、みんなが幸せになるために

鴻上　ブレイディさんは、これからどんな文章を、どんな人に向かって書こうと思っていますか？

ブレイディ　そうですね。私はあんまり戦略的な人間じゃなくて、結構成り行きでやっているところがあるんですよね。もともと私の本は、書店さんでも人文の棚にひっそりと置かれていたんですよ。それが『ぼくはイエローで～』では、文芸やエッセイの棚に置かれています。私は割と日本……どこの国でもそういうところがありますけど、あんまりジャンル分けって要らないんじゃないかな、ギチギチに分けなくてもいいんじゃないかなって思います。

だからいろんなジャンルを横断させて、例えば今回の本だったらエッセイとして読

んでいる人もいるし、何か社会学の本を読んでいるみたいに捉えていた人もいた。育児本として読んでらっしゃる方、イギリス生活者のエッセイとして読んでる方もいらっしゃるだろうし……いろんな人が、いろんな読み方をできるような本を書きたいですね。これは人文書です、これは文芸です、これはルポですといった分け方をせず、ジャンルレスな書き手になりたいです。

鴻上　想定する読者——こういう人に届いてほしい、という希望はありますか？

ブレイディ　いろんな人が読める本が書きたいですよね。ティーンにも読んでいただきたいし。読者層の狭いところに閉じこもって書くんじゃなくて。

鴻上　経済的な問題にちゃんと取り組むと、届く範囲はさらに広がりますよね。「反緊縮」はブレイディさんの重要なテーマですね。

ブレイディ　だから反緊縮に関しても、『子どもたちの階級闘争』で託児所の問題に絡めて割とがっつり書きました。データに出ている数字は、具体的には人々の暮らしがこういうことになるということなんだよと。

もう一つのテーマとしては、マクロの問題をミクロから見上げているような本を書きたいという気持ちがありました。普通の生活と政治・社会を、どうしても切り離して考えがちじゃないですか。でも普通の生活の中にこそ、政治の影響が出てくる。

普通の生活の中から、つまりミクロからマクロを見上げることができるんだよっていう思いは、ずっと意識して書いていることですね。ミクロで書くからこそ、普通に生活している人が読んでもわかる。政治や経済のことを考えるようになる。

ところで鴻上さん、政界に出馬する、なんてことないんですか？

鴻上　出ませんよ、絶対出ないですけどね、来ません。出馬の打診、どこから来てもいいのにね……。なんでしょうね（笑）。

ブレイディ　待ってます、と表明してみるとか（笑）。

鴻上　いやいや待ってないです。だって窮屈《きゅうくつ》じゃないですか、出馬なんか。マスコミの影響なんだけど、日本はもう不倫するだけで、人生が終わりみたいに叩《たた》かれるじゃないですか。

ブレイディ　すごいですよね。

鴻上　そうでしょう。明らかに僕は、ほっとけと思うんですよ。だってつまり当事者である奥さんが責めるのは当たり前だし、奥さんの家族が責めるのも当たり前だけど……。

ブレイディ　何の関係も無い人が責めるんですよね。うちの息子によれば、「人間は人を罰するのが好きなんだよ」って……。

鴻上　政治家はそこらへんを厳しく突っ込まれるでしょ。ほっとけって言えばいいのにって思いますけど、そういう清廉潔白《せいれんけっぱく》を求められるような職業なんかに就《つ》きたくないですね。あ、でも政権の中枢まで行けば、好き勝手できるのかな（笑）。でも、それはそれで嫌《いや》ですね。

ブレイディ　鴻上さんは、演劇と執筆と、あとオピニオンリーダーの役割でしょうか。

鴻上　オピニオン・リーダーとは、自分のことを思ってないですけど、僕、やってることは……根っこは全部一緒なんです。自分が思ってることを演劇っていう形で発表したり、エッセイで書いたり、テレビに出させてもらったりしてて、大本《おおもと》は、みんな幸せになろうぜ、ということなんです。

ブレイディ　それですよね。みんな幸せになろうっていう。私も幸せになるために人間は生きてると思うんですよ。だから無駄な校則もそうですし、ずっとデフレばかりで救われない経済の状態もそうですし、特に今、日本社会は幸せになぜか背を向けているような気がするんですよ。だからみんな幸せになる方向に進んだほうがいいと、それは私もすごく思います。

鴻上　みんな幸せになろうぜ、ということを伝えたくて演劇をやったり、エッセイ書いたり、人生相談を受けたりしてるんですね。単純に幸せになることだけが目標でいいのかと言う人もいるけど、幸せになることが一番大切でしょう。

ブレイディ　いいですよね。私もそう思います。そんなわけで今日は本当にお話できて嬉しかったです。

鴻上　僕も、ブレイディさんのご指名、嬉しかったです。ありがとうございました。

（2020年春）

II

社会と向き合う

表現としてのコミュニケーション

自助、共助、公助……という順序

鴻上　最初に、すごくお礼を言いたいことがあって。この前対談した時に、ブレイディさんの息子さんが「日本人は社会に対する信頼がない」っていうふうに言っていたこと、あれが僕の残りの人生のテーマになりました。いや、中学生から教えられるとは思わなかったんですけど（笑）。結局、僕がずっと思ってることを中学生が一言で言ったってことですからね、すごいと思いますよ。

ブレイディ　私、鴻上さんの『同調圧力』（評論家・佐藤直樹《さとうなおき》さんとの共著＝講談社現代新書）、読みましたけど、すごい面白かったですよ。以前に対談した時に、世間と社会の違いについて話してらしたじゃないですか。その意味がよくわかって、たくさん付箋《ふせん》貼りました。

鴻上　ありがとうございます。

ブレイディ　私、共著者の佐藤直樹さんを存じ上げなかったんですけど。世間と社会の二重構造のくだりで、法律で定められている人間関係が社会なんだとおっしゃっていますよね。これまさに、本当にイギリスにいるとぴんと来る感覚があるんです。要するに、法律があって、国の仕組み……システムができていて、福祉のシステムがあって、それが機能していくのが社会だっていうことを私もすごく感じてたんです。

最近、首相が代わりましたよね。

鴻上　日本の話ですね。

ブレイディ　菅義偉《すがよしひで》首相。「まず自助があって、共助があって、公助だ」と言っていたのが、ネットで盛り上がってましたよね。あれのまさに公助の部分が私に言わせると社会なんですよ。というか、イギリス人のイメージはそうだと思うんですよ。自助というコンセプトは、新自由主義的で、いかにもマーガレット・サッチャー的というか、彼女は「社会なんてものは存在しません」と言い切った人ですから。自助が最重要なのだと本気で思っていたからこそ、新自由主義を信じた。

共助は、まさに日本では、鴻上さんが言われる世間のこと。身内で助け合えよっていうことですよね。

鴻上　そうです。だから公助よりも先に共助がくる。自助、共助、公助っていう順番はものすごく分かりやすく日本の構造を表している。

ブレイディ　そう。まずは自分でやれっていうこと。次に世間がきて、最後に社会システムという順序。それがやっぱり日本的だなと思いましたね。

鴻上　なおかつ、菅さん、絆《きずな》って言葉を出しましたからね。首相になってテレビに出演していた時、ニュースキャスターが「自助、共助、公助ですよね」と言ったら、「それに絆があるんです」と、堂々と言ってたので、驚いたんです。

ブレイディさんの『ワイルドサイドをほっつき歩け』（筑摩書房）で登場するスティーヴが、「労働者っていうのは助け合う。それが俺たち労働者なんだ」って言うくだりがあるでしょ。あれ、つまり共助ということですよね。

ブレイディ　ただね、あれが世間なのかっていうと、私まだこの共助という言葉の定義づけがすごく微妙なところだなと思ってます。実は私、アナキズム（国家や政府などの権力的支配を否定し、人間の自由を最高の価値とする思想）にも興味あるんですけど、アナキズムには相互扶助《そうごふじょ》の考え方があるじゃないですか。要するにトマス・ホッブズ（イギリスの哲学者。1588～1679）は、「人間というのは放っておけば、食うか食われるかの戦いを始めるんだ」と言っている。でも、ピョートル・クロポトキン（ロシアの政治思想家。1842～1921）はそうじゃなくて、「人間には助け合う本能があるから今まで生き延びてきたんだ」と言ってるんです。

鴻上　そうですね。

ブレイディ　イギリスの労働者の相互扶助は、クロポトキンのほうに近い気がする。知っている人しか助けないってのは、彼らにはないですからね。ある種の下町的な人のよさというか、気がついたら体が動いて助けてしまっているみたいな、そういう助け合いのスピリットをアナキストたちも、大事にするんですよね。最近亡くなったデヴィッド・グレーバーというアナキストの方がいて……アメリカの人類学者なんですけどね。ロンドン・スクール・オブ・エコノミクスの教授だった方で、日本でもちょっと前に岩波から『ブルシット・ジョブ』っていう本が出ています。

九月の初めに亡くなったということもあって、この本、日本でもすごく売れてるんですよね。その本に書かれていたのが、結局、世の中にはブルシットジョブっていう、あってもなくてもいいような仕事があると。要するに、なくてもいい会議のための書類を作り、なくても誰も困らない書類のための資料を集めるみたいな、オフィスワークとか管理職っていうのは、その存在を正当化しがたいほど無意味で不必要な仕事に満ちていると。

みんな長時間働くのも、何かすべきことがあるからじゃなくて、上司が見てるから帰れないとか、そういう意味のない時間を過ごしている人が増えすぎたというんです。他人に不必要な仕事を割り当てるために存在し、無意味な仕事を作り出している中間管理職も増えていて。そういう事務の類《たぐ》いは、ほとんどはなくてもいい仕事なんだと、彼は言ってるんです。まやかしの詐欺《さぎ》みたいな仕事だと。

鴻上　なるほど。いわゆる、マックジョブ（低地位・低賃金・単調・重労働を指す侮蔑語《ぶべつご》）と呼ばれる労働のことじゃなくて、意味のない労働のことをブルシットジョブと呼ぶんですね。

ブレイディ　はい、意味のない労働。だから逆にマクドナルドで働いたり、お掃除をしたりとか、そういう仕事はこっちでは昔からシットジョブと言われてます。要するに、本当にクソ（シット）みたいに安い賃金なのに大変な重労働で、人々にダイレクトに食べ物を与えたり、サービスしたりして、誰かをケアしている仕事。たぶん、グレーバーはそれのもじりでブルシットジョブという言葉を作ったのでしょう。「ブルシット」は、まやかしとか詐欺とか、嘘《うそ》みたいなという意味も入ってくるから、あってもなくても誰も困らない、蜃気楼《しんきろう》のような仕事だという意味で。

このコロナになって、エッセンシャルワーカーとかキーワーカーって言われた人たちは、外に出て働かなきゃならなかったじゃないですか。はっきり言えば、それこそがシットジョブのことだった。低所得のゴミの収集職員だとか、介護士さんとか、保育士もそうだし。

一方でブルシットはみんなオフィスに行かなくてもオンラインで、在宅で働けた。何が本当に社会にとって必要な仕事なのかがコロナで明らかになったよねと、グレーバーは書いていた。だからこそ、ふだんは報《むく》われないシットジョブの人たちがヒーロー視されることになった。

……ところで、私、このコロナになって驚くほどイギリス人の悪いところを見たんですよ。

鴻上　例えば？

コロナ禍、イギリスで自然発生的に起こった相互扶助

ブレイディ　トイレットペーパーの買いだめとか、全く日本と同じようなことが始まってしまいました。それでスーパーは一人一袋までというように買う量を制限することになる。その時に、スーパーには結構移民の方が働いてらっしゃるんですけど、ひどく差別的なことを言って罵倒《ばとう》する人もいたんです。普段は人権を主張してるイギリス人も切羽《せっぱ》詰まってくると、ヒューマンライツはどこにいったんだ?という事態になってしまった。

その一方で、やっぱりイギリスはすごいなと思ったのは、相互扶助が、政府とか自治体とは関係ないところで勝手に立ち上がるんです。自主隔離が始まると、お年寄りだけで住んでらっしゃる家庭は、自分でスーパーに買いに行けなくなる。そういう方のために食事を買って届けるネットワークを作りますから、興味のある人は連絡をくださいっていう手作りのチラシが家の郵便受けに入ってきた。そのチラシには、自分の携帯の電話番号とかメールアドレスが書いてあるんですよ。

悪用されるかもしれないわけで、平時だったらこういうことをする人はいないじゃないですか。でもイギリスだと、緊急時にはこういう活動が草の根から始まる。だから私もそこに電話して、実は一緒にその活動をやったんですけどね。相互扶助が自然に立ち上がる土壌がある。誰かがやれって言ってるわけじゃないんですよ。やりたいからやる。コロナ禍の中、そういう活動はイギリス各地で立ち上がったようです。

家の壁とかに自分の顔を描いた手作りのチラシを貼って、「自分は水道業者だから、家で何か困っていたらただで引き受けるから電話してくれ」とか、「何かできることがあったら何でも自分はやる」と書いて貼ってる人もいるんです。人間はみんな、やっぱり人を助けたいんだなって思いました。

今回、キーワーカーやエッセンシャルワーカーが称《たた》えられたじゃないですか。うちの近所でもやってましたけど、彼らに向かって決まった時間に外に出て拍手したりね。感染の恐れがあっても外に出て、他者をケアする職業の人たちがまるで相互扶助のシンボルになったみたいに、互いに助け合おうっていう雰囲気が広がった時期でもあったんですよ。それは共助だけど、でも身内の共助じゃないんですよ。知らない人でも電話かけてきてくれっていう助け合いです。

鴻上　イギリスのその相互扶助は、日本で言うと社会とつながる、ということなんですよ。日本の場合は、国家さえも自分にとっての大きな「世間」だと考える傾向があります。安倍首相（当時）が街頭演説で、「安倍やめろ」コールを浴びた時に、「あんな人達に負けるわけにはいかないんです」って叫びました。演説する時に、支持者という「世間」と、批判者としての「社会」を分けた言葉ですね。首相として国民という「社会」に向けて話しているのではない、ということが分かる言葉でした。

知らない人と柔軟につながれるというのが「社会」というものですね。だから知ってる人としかつながれない状況が、日本の一番の問題点だと思います。僕から見ると、イギリス人の方が社会に対する信頼がちゃんとあると感じます。

ブレイディ　イギリスでは本当に知らない人同士が助け合ってつながっていく。これがコロナで見えたすごいところでした。私は車を運転しないから食料の運搬はできないので、お年寄りだけの家庭に定期的に電話して、「紅茶のティーバッグ切れてませんか」とか、そんなことを聞いたりしてましたね。

鴻上　イギリス特有の階級を越えてつながったんですか？　それとも労働者階級の中での話？

ブレイディ　それはもう近所、地元のつながりですね。

鴻上　近所ってことは、ほぼ同じ階級の人達が集まってるということですか？

ブレイディ　それがそうとも言えなくて、うちはもともと公営住宅地だったんですけど、最近すごく様変わりしてるんです。家の値段が上がって、もともとこのへんに住んでた人が、家を売って出ていってる。イギリスもすごく不動産の値段が上がって若い人はあまり家を買えない時代になってるんですけど、うちの周辺はもともと公営住宅地だったから、上がるといっても他の地域みたいには上がらないんですよ。元公営住宅地だったというスティグマ（烙印《らくいん》）があるから。

だからミドルクラスの若い人たちが、うちみたいな元公営住宅地に安い家を買って、格好いい内装をして住むのがちょっと流行《はや》ってるんですよ。

鴻上　ほお。

ブレイディ　デザイナー公営住宅地って言われてるんですけどね。そういう住み方をしている人たちも近所に最近増えてるんです。50年代にできた公営住宅だから、結構大きくて庭も広い。だから移民の、例えばお子さんの数が4人とか5人とかいらっしゃる方々とかが、この周辺の公営住宅を買って引っ越してこられる。ムスリムの方や、アフリカの方々も増えています。そんなふうに外国人も増えてるんですね。
だからうちの周辺はミドルクラスの若者もいるし、外国人もいるし、元々の労働者階級もいるし、結構交ざり合ってるんですけど、今回はみんな一緒になって共助の活動がありましたね。

災害後に起きた共助と迫害

鴻上　災害の後に、万人の万人に対する闘争になるかどうか、ハリケーン・カトリーナ（2005年8月に米国南東部を襲った大型ハリケーン）の時の有名なレポートがあるじゃないですか。カトリーナの時は、実はみんながすごい助け合ったという。

ブレイディ　助け合ったんですよね。レベッカ・ソルニット（環境問題と人権問題に取り組んでいるアメリカの作家）が『災害ユートピア』（亜紀書房）で書いてるじゃないですか。まさにあの世界。第二次世界大戦の爆撃から、地震、洪水、ハリケーンに至るまで、何十年にもわたる社会学的調査を見ると、大惨事が起きると人間はパニックを起こして利己《りこ》的になり、野蛮《やばん》な行為に走るというイメージは嘘だと彼女は指摘した。むしろ、パニックになるのは政権とか権力者たちで、地べたの庶民は自主的に特別な共同体を立ち上げ、生き生きと助け合い始めるんだと。

鴻上　でもね、ところが、ソルニットが例外として書いているのが、関東大震災の朝鮮人虐殺《ぎゃくさつ》の話なんですよ。つまり、災害が起こった時に人は助け合うという想定のはずなんだけど、関東大震災の時の自警団による朝鮮人虐殺は「最も非道きわまりない例」とされています。

ブレイディ　悲しいですね。

鴻上　何が違うんだろうと考えてしまいますよね。利他《りた》的で見知らぬ者を助ける状況と、自警団を組織して「敵」を探し続ける状況と。

ひょっとしたら、ハリケーン・カトリーナの場合は、関東大震災の時と違って、マスコミが地域全体が壊滅したと久々に明確に伝えたことが大きいのかもしれません。マイナスの意味で「みんな同じ」と思えたから、相互扶助が生まれたという仮説です。関東大震災が起こった1923年（大正12年）は不正確な報道による噂や疑心暗鬼が人々の怒りを加速させたと考えられます。ブラック・ライヴズ・マターでも、抗議活動の一方でブランド店の襲撃が起こるのは、強烈な格差意識とか、被差別感覚じゃないかと思えます。やっぱり人は惨《みじ》めというか、被害を受けてるのが自分達だけだと思ったら、万人の万人に対する闘争が始まるということですかね。

ブレイディ　被害を受けるというか、多くの人が抑圧されている状況は、人間に元々備わっている本能を曇らせるとは思います。だからこそ平時には『災害ユートピア』が立ち現れないということでもあるわけで。グレーバーによれば、シットジョブをしてる人たちはもちろん搾取《さくしゅ》されて抑圧されてるけど、ブルシットジョブをしてる人たちも実は等しく現代社会に抑圧されているんだと。なぜなら彼らは、自分はしてもしなくてもいいことをして時間を潰《つぶ》して生きているんだということは知っていて、そのために精神的に傷ついているんだって言うんですよ。

鴻上　なるほど。

ブレイディ　例えば学校の先生の給料が安いことについて、アメリカだったら、彼らは子どもたちに教えるという意味のあることをしてるんだから、お金まで求めなくてもいいじゃないか、という倒錯《とうさく》したことを言う人もいるってグレーバーは言ってて(笑)。自分は耐えられないほど退屈なこと、どうでもいいような仕事をしてるんだから、その報酬にお金をもらってるんだという、変な理屈さえ成立している。

結局その考え方が進むとどうなるかというと、何でも報酬ではかるようになってしまう。人間に人を助けたいっていう本能があっても、「それはいくらなの？　ケアは安い仕事だから取るに足らない行為でしょ」っていうことになってしまったり。何かをしてくれたから、何かを返すという、いわゆる負債と返済の呪いのループがここでも始まります。『ブルシット・ジョブ』は、無意味な仕事についてだけでなく、他者をケアするという行為への軽視についても警鐘《けいしょう》を鳴らしている。
　そういう風潮がすごく強くなってくると、人間は人を助けたいっていう本能を縛《しば》られてしまって、自然に立ち上がらなくなってくる。

鴻上　なるほどね。それは佐藤直樹さんが言ってる、世間は不平等という意識がすごく強いということですね。簡単に言うと、やつらはいい目を見てるけど、俺は酷《ひど》い目に遭《あ》ってるっていう恨みが、一番の差別的というか、排外主義のベースにあるということですね。

「sameness」と「equality」の勘違い

ブレイディ　あと、話が飛びますけど。『同調圧力』を読んでて、不平等について佐藤さんが語ってらっしゃるところ……例えば日本のネットを見ていて思うんですけど、日本人が思う不平等って……日本人は、「equality」と「sameness」っていうのを勘違いしてるんじゃないだろうかと。

鴻上　というのは？

ブレイディ　だって平等の概念というのは、そもそも違う人たち、例えば人種が違うとか、今まで育ってきた環境が違うとか、宗教が違うとか、男女とかジェンダーが違うとか、いろんな違いを持つ人たちが共生していく時に、違うからと言って不公平な扱いをするのはよくないよねという——みんな同じ扱いをされるようにしましょうねという考え方がequalityでしょ。でも、samenessというのは、力点が単に「違う」か「同じ」になってしまうから、「同じであることが正しい」みたいになっててそこに違うもの同士の共生という、そもそもの前提がないですよね。だから、それが例えば学校で、みんな同じ髪型をしてないと不平等ということになってしまう。それは「平等」じゃなくて、単に「同じ」なんですよね。今の日本では、samenessがequalityと勘違いされている感じがしてしょうがない。結局、朝鮮人虐殺にしても、「違う」者は迫害してもいいという意識があったからこそ、あれほど残虐《ざんぎゃく》なことができたのでは。

鴻上　そうですね。朝鮮人虐殺の時の自警団と、今のコロナ禍の自粛警察は相似形《そうじけい》だと感じます。特にコロナ禍でのネットの荒れ方は、まさにブルシットジョブをやってる人達が、自分の怒りとか不満をどう解消していいか分からなくて、ぶつける対象をネットの中で見つけるということなんじゃないかと思います。そのsamenessとequalityというのは、結果平等と機会平等のことと同じことですかね。一時期、本当にあったらしいんですけど、小学校の運動会で手をつないでみんなでゴールするみたいな、結果を平等にしなきゃいけないという考え方ですね。これが結果平等のsamenessで、とにかくチャンスはフェアにしましょう、その結果はいろいろ違って当然ですよっていうのが機会平等のequalityですかね。

ブレイディ　日本で考える平等は、「同じ」っていう意味ですよね。均質に同じ。同じに見えるし、同じことをするし、それで同じだよねっていう共感でつながっていく世界。

鴻上　そうなんですよね。

ブレイディ　日本人は、みんな同じでないと安心できないっていう気分が昔からすごく強いと思うんですよ。

鴻上　そうですね。それはもう、本当に日本人がずっと「世間」という均質な空間で生きてきたからだと思います。集団労働の稲作文化の島国で、異文化・異言語の侵略を一度も受けなかったことが歴史的に均質な空間を作り上げたんです。僕は口を酸《す》っぱくして言ってるんですけど、ランドセルとリクルートスーツが当然と思われている限り日本は変わらないと思います。でも、ぼちぼちランドセルをやめようっていう声はいろんなところから出てきてるんです。もう別に普通のバッグでいいんじゃないのって。でもまだ、それがニュースになるぐらいで、リクルートスーツはいまだに変わらないですよね。それどころか、80年代に比べて、リクルートスーツの縛りは強くなってきていると感じます。

ブレイディ　そう、昔よりもすごい同質性が強まってる感じがします。でも、それは経済のせいもありますよ。リクルートスーツの同質化が異常なまでに強まったのは絶対そうだと思います。

鴻上　確かにそうですね。経済不況によってリクルートスーツはやめられないけど、ランドセルに関しては少し何とかなってきたっていうことですかね。でも、そうすると結局、「反緊縮」と「緊縮」をめぐる経済の問題に帰ってくるわけですね。

クリエイティビティの目覚めは1歳から2歳

ブレイディ　そう。今、「sameness」の話で私がすごく思い出したことがあって……

イギリスで保育士の資格を取る時にコースで習ったんですけど、人間のクリエイティビティの目覚めは1歳とか2歳とか幼児の時期だというんですよね。そして、そのクリエイティビティの目覚めというのは、人と違うことをやってみようっていう意識の芽生えのことらしいんですよ。

私、それを聞いた時に実はとてもショックを受けたんです。なんで私こんなにショックを受けているんだろうって考えたら、それは日本でそんなふうに教わってこなかったからですよ。

人と違うことをやってみようと思うのが人間のクリエイティビティの目覚めだから、保育士は、それを妨《さまた》げちゃいけないって言われたんですよ。例えば幼児たちに同じような工作をさせてる時に、最初に色を塗《ぬ》りましょうと教えている時に一人だけハサミで切りたいっていう子が出てきても、「切っちゃいけません。みんなと一緒に色を塗りなさい」とは言っちゃいけないって。それがその子のクリエイティビティの目覚めなんだから、尊重し、サポートしなくてはいけないという教育なんです。

鴻上　なるほど。それはいい教育ですね。

ブレイディ　それはイギリスの保育士のコースで習ったんです。すぐに私、これ日本と逆じゃないかと思いましたね。自分が子どもだった時代を思い返しても、一人だけ違うことをしようとしたら、我《わ》が儘《まま》って言われたり、先生が大変になる、みんなと一緒のこととしてちょうだいって言われてきた思い出しかない。でも、これがもし人間のクリエイティビティの目覚めを妨げるとしたら、そういう教育を受けた子どもたちは、早い時期に大きな可能性を潰されているかもしれない。

日本からグローバルスタンダードな企業が出てこない理由

鴻上　僕は、ここ20年近く、日本からグローバルスタンダードな企業が出てこないのは、そこに一番の原因があると思ってるんです。かつての高度経済成長にいく途中のいろんな試行錯誤ができた時代は企業が全部若くて、別に前例がなくても問題じゃなくて、好きなことをやれた結果、SONYや任天堂などの世界的企業がたくさん生まれた。でも、その後、前回お話した「理不尽《りふじん》な校則」や画一化の教育によって自分の頭で考えることが許されなくなった結果、世界に通じる人材が育たなくなったんじゃないかと。この考えを大げさだと言う人もいるんですが、真面目《まじめ》で優秀な生徒ほど先生の言うことを聞くでしょう。反発する賢い生徒は日本を出るんじゃないかと思うんです。

僕は「COOL JAPAN」の企画で幼稚園を取材に行ったんです。給食の時間に、2人の園児が前に出て、「いただきます！」と言うと、次に全員が「いただきます！」って大声で叫ぶんです。思わず「小さな軍隊？」って思いました。

でも、その大合唱に幼稚園の先生達はものすごくプライドをもってるんですよね。聞くと、その幼稚園は教育意識の高い親達が入れさせたくなるような、とても評判のいい幼稚園だったんです。幼稚園から、全員で力一杯同じことを叫ばせて、日本からクリエイティビティ豊かな子供が生まれるんだろうかってその時に思いましたね。こういう話は、あまりの現実とのギャップに言えば言うだけ悲しくなってくるんですよね。困ったな。

ブレイディ　私、『ぼくはイエローでホワイトで、ちょっとブルー』に「相手の立場に立って想像してみる」という意のエンパシーっていう言葉について書いたじゃないですか。最近、そのエンパシーをすごく深掘りする連載を書いているんですけど、いろいろ調べてたら、人間にはミラーニューロンという神経細胞があるらしいんです。

鴻上　ミラーニューロン？

ブレイディ　猿《さる》にあることは実験でわかってるんです。人間の場合、脳に電極を刺して実験はできないんですけど、間違いなく人間にもあるって言われてるんです。人間は他人が何かの動作をしている姿を見ると、自分の脳内でそれを鏡のように再現するらしいんですよ。例えば誰かがすごい怪我《けが》をしてるところを見ると痛く感じたりするのは、脳神経で再現してるという理由らしいんですね。

それで私、ピンときたのが……例えば赤ん坊は誰かが泣き始めたら、まわりの子もつられてギャーギャー泣き出します。誰かが手をたたき出したら、まわりの赤ん坊も手をたたき出したりするんですよ。寝かしつけてる時、最初の2人ぐらいを寝かすのがすごく大変なんですけど、その2人の赤ん坊がいったん眠ったら、他の赤ん坊がやっぱりバタバタとみんな眠り出すんですよ。これがミラーニューロンの仕業《しわざ》かなと思ったんです。

でもね、それが2歳、3歳ぐらいになると、みんながバタバタと眠り出すなか、ギリギリ目を開いて天井を見て、絶対寝ないぞっていう子が必ず何人か出てくるんですよ。

それは、もしかしたら人間の自我の目覚めじゃないけど、自分でありたいっていうクリエイティビティの目覚めかもしれないですよね。ということは、この日本人の、ずっと「same」でありたいっていう意識は、やっぱり何かがまだ目覚めてないっていうことかもしれない。

鴻上　なるほど。いやいや、目覚めるな、目覚めるなって言われ続けてきた結果かもしれないですね。

ブレイディ　そうですね。目覚めさせたらいけない、と。

右も左も同調圧力に苦しめられるのは同じ

鴻上　それでいうと、『同調圧力』を出版した後にAmazonの書評を見てたら、もちろん五つ星も結構あるんですけど、途中から星一つっていう評価が急激に増えたんですね。それはどんな理由なんだろうと思ってレビューを読んだら、「こんなに日本を悪く言う反日の本は許せない」という意見だったんです。

ブレイディ　そうそうそう。

鴻上　「日本ばっか悪く言うんじゃない」「同調圧力なんて世界にもあるわけで、たぶんアフリカの部族とかにいったらもっとすごいはずだ」みたいなレビュー。「どうして同調圧力を語ることを反日のシンボルにしようとしているの⁉」と思ってびっくりしたし、すごく悲しい気持ちになりました。

おそらく、人と違うことをするのはやめましょうというようなクリエイティビティへの抑圧意識は、「反日」を攻撃しているような保守的なグループの方が絶対強いはずなんです。村とか体育会系の集団とか伝統的な組織とかは、個人より集団を尊重する考えですから。なのにそういう人達が、同調圧力は世界にたくさんあって、日本だけがおかしいわけじゃないんだって言うことに、僕はちょっと腰にきて、暗澹《あんたん》たる気持ちになりました。もちろん、一方でリベラルといわれる人達にも、実は教条《きょうじょう》主義的で、原理原則にこだわってしまうという同調圧力が強くなる面があります。

ブレイディ　全体主義っていうのもありますよね。

鴻上　そうです。だから右も左も同調圧力に苦しめられるのは同じなんですけど、たぶん僕のパブリックイメージでいえば、いつの間にか鴻上は反日で、日本に対して悪口を言ってるのが同調圧力なんだっていう流れが生まれたんです。この本を発売してまもなくは、星の評価が４・１とか４・２で４を超してたんですが、途中から３・７くらいに落ちたのは反日業界に知れ渡ったことが原因でしょう（笑）。

ブレイディ　反日業界（笑）。

鴻上　保守的な人達が、そうやって自分で自分の首を絞めていいのかと心配しますけどね。ブレイディさんが『ワイルドサイドをほっつき歩け』で解説してくれたように、白人労働者がＥＵ離脱を訴えるメカニズムは、まだ何となく分かるじゃないですか。だけど、ものすごいガチガチの同調圧力の中で生きてる保守的な人達が、同調圧力という考えに反発する回路はとても残念なことだと感じます。「同調圧力」が強くなることを喜ぶのは、強者、つまり圧倒的な権力者だけですから。

自主保育で「ホームレスのおじさん」と子どもたちの交流

ブレイディ　そうなんですよ。そこが難しいところなんですけどね。でも日本にも確かにいいところはあって、安全だっていうのもそうじゃないですかね。これは、やっぱり世界に誇っていいですよ。これは日本に行ったイギリス人がみんな言うし、うちの連れ合いが一回日本で国際免許証を落としたら、拾って警察の人に届けてくれた人がいて。すごい、これはイギリスではないって、感動してました。

私、昔『THIS IS JAPAN』（新潮文庫）っていう本の執筆のために、日本に1カ月滞在したことがあるんです。その時に世田谷の自主保育の現場を取材して書いたことがあるんですよね。自主保育というのは、幼稚園でも保育園でもない、公園とかの野外を拠点とした保育の取り組みで、保護者たちがグループを作り、当番制で子どもたちの面倒を見ているんです。

世田谷に自主保育を見に行くと言うと、意識高い系のお母さんたちなんじゃないの、みたいなことを言ったライター仲間もいたんですけどね。で、実際に行ってみたら、彼女たちの保育の拠点になっている多摩川の川べりに、ホームレスのおじさんが自分で家を建てて住んでらっしゃるんですよ。元々、大工さんだったか何かみたいで。

驚いたのは、そのおじさんが子どもたちと交流して、いろんなことを教えてるんですよ。例えばそのホームレスのおじさんが針金なんかを拾ってきて、みんなで針金を工作したり、おじさんは周辺の自然のことも知ってるから、今あそこに行ったら桃がなってると教えてくれたり、虫についても教えてくれるらしいんですよ。

私、それを聞いた時に、信じられなかったです。これはイギリスだったらあり得ないことなんですよ。私が働いていたイギリスの無料託児所は、長期無職の方々や貧困層の方が来るような、慈善団体がやってる無料託児所だったんですけどね。そこで働いてる人は、左翼っぽい方々が多くて、多様性をすごく大事にしてたし、自由な雰囲気でした。でも、イギリスみたいに「社会」が発達してると、保育のガイドラインもうるさいわけですよ。ホームレスの方は統計データとして、やっぱり依存症の問題を抱えている方が多いとか、ほかにも衛生上の問題がでてくる。だから子どもを近づかせてはいけないという考えが先にくると思うんですよ。また、イギリスでは子どもと触れ合う職業の人は必ずポリスチェックを受ける。前科がないこととか、ちゃんとわかってないと一緒に遊ばせられないんです。

一方で日本の、その世田谷の自主保育のお母さんたちは、その方を本当に信頼していた。一日のセッションの終わりに、お母さんたちが円になってその日の反省会をしているんですけど、あら、お母さんたちみんなここにいるっていうことは、今子どもは誰が見てるんだろうと思って、フッと振り向いたら、そのホームレスのおじさんが、川べりで子ども10人ぐらいと走り回ってサッカーをやってるんですよ。私ね、それを見た時、本当に涙が出てきました。これは日本のすごいぼんやりしたところでもあるけど、イギリスではないことだよね、と思ったんです。

日本は、すごいがんじがらめみたいなところがあるのに、思わぬところで突破口みたいな変な穴が開いてる。帰りにバスの窓から子どもたちがホームレスのおじさんと遊んでるのを見た時に、もうなんかすごい涙が出てきて。これ、日本の緩《ゆる》さでもあるんだけど、いいところでもある。

それに比べるとイギリスというところは、やっぱり気が締まるんですよ。その取材はイギリスに帰るちょっと前だったんですが、「私はイギリスに帰ってまた戦うように毎日を生きる日常に戻るんだ」って思った。イギリスでは、どこか戦うように生きてるんですよ。

鴻上　分かります。それは「世間」論から言うと、ホームレスのおじさんは、そのお母さん達の世間に入ったので、100パーセントの信頼になるんですよ。

ブレイディ　でも、そうなると、それって本当にそんなに悪いことなんですかっていう気持ちにもなってきます。

〝世間認定〟されたら住みやすい国

鴻上　もちろん。だから日本の場合は何が問題かというと、〝世間認定〟されてる人達のなかでは相互扶助が行われ、信頼感が生まれるんだけど、相手を〝社会認定〟した瞬間に、コミュニケーションどころか、何の関心もなくなってしまうところです。

昨日、新宿駅でうずくまっている女性がいたんですけど、本当に誰も声かけないいんですよね。それはつまり社会認定してるから。また、1カ月ぐらい前に、やっぱり新宿駅で明らかに高齢のおじいさんが3段ぐらいのちっちゃな階段を下りられなくて、重そうな荷物を持って苦労してたんです。でも、やっぱり誰も声かけないいんですよね。僕が「荷物持ちますから。手を貸しましょうか」って声をかけたんですけど、そのおじいさんはものすごい意外そうな顔をしました。そこが、日本のしんどいところだと思います。

だから世間認定さえされたら、こんなに住みやすい国はないと思います。

ブレイディ　そう、世間認定されたら。もう本当にイギリスでは考えられないような温かさがありますよね。

鴻上　はい。それは田舎に行った外国人がよく言うんです。要は、ずっとよそ者扱いされていたのに、何かのきっかけでコミュニティに入れてもらうと、もう全く扱われ方が違うってびっくりする。

ブレイディ　確かにそうかもしれないです。イギリス人でも、日本の田舎のコミュニティに受け入れてもらった経験のある人は、「もう日本は天国みたいな国だ」って言いますもんね。本当に信じられないぐらいみんな優しいって言います。

鴻上　世間認定した相手には信頼して優しくなる分、相手を社会認定してしまうといきなり冷たくなる。最初にブレイディさんが言った、コロナの時に買い出しに行けない年寄りが隣にいようが、もう何の関心も持たないってことになるんですね。

でも、例えば、大阪なんかは、都会でも大きな「世間」だと感じる人が多い傾向がありますよね。要は、知らないおばちゃんがいきなり飴《あめ》ちゃんをくれるような場所なので（笑）。ただし、「世間」が強く残っているところは、相互扶助が強い分だけ個人の自我に対するリスペクトが薄くなる傾向があるんです。つまり、個人のプライバシーにずけずけ入ってくることが多いんです。相互扶助をちゃんとしてくれる分だけ、とにかくいろんなことを詮索《せんさく》されます。イギリスにおける相互扶助とプライバシーを守る関係は、どうなっているんですか。

ブレイディ　さっきも言ったように、例えば子どもに接することができるのは、ちゃんとポリスチェックを受けて、その証明書をちゃんと提示できる人だけとか、そういうところはやっぱり踏み込んでやってますよね。そういう意味では、日本よりも監視社会という面もあります。政府が監視しているというか、おかみが監視しているという意味では、日本よりも厳しい。例えば日本は、マイナンバーカード取得率がいまだにすごく低いみたいですけど、あれはイギリスでいうとＮＨＳ（国民保健サービス）ナンバーですよね。私らみんな持ってますからね。ＮＨＳナンバーを入れたら、私ら政府に税金から年金から医療情報まで一つの番号で全部一緒に把握されてますからね。

でも、その代わりに私たちみたいな外国人とか、この国に来てまだ日が浅い人にとっては、いろんなところに電話してたらい回しにされなくても、一つのナンバーを言ったら行政側の人が税金の支払い状況から子どもが生まれた事実まで全部一発でわかってくれるという便利さはある。その国の言語を操《あやつ》れない人たちにとっては楽なシステムですよ。監視社会に対する抵抗は日本のほうがあるのかなと思います。

鴻上　それはつまり、世間が監視するんだったら受け入れるけど、全く知らない他人、つまり、社会の監視は受け入れたくないということだと思いますね。国というのも熱烈な与党支持者でない限り、結局知らない他人の象徴なので。

知らない人達から見られたくないという抵抗感は強いでしょう。この違いは面白いですね。

どこの国でももちろん、噂《うわさ》好き、ゴシップ好きな人はいると思うんですけど、そのコミュニティは、日本的なベタベタした感じっていうのはあまりないんですかね。

ブレイディ　ベタベタした感じ？

鴻上　コロナの時のヘルプのチラシに自分の電話番号を書く。で、電話がかかってきて、そこからつながりができるとするじゃないですか。その後、お互い知り合っていくと、日本人の場合は、相手と自分の立ち位置の違いをちゃんと知っておかないと落ち着かないっていうところがあると思うんです。もしボランティア団体なんかで知り合ったとしてもです。

ブレイディ　そうですか?

鴻上　この人は私よりも年齢が上なのか下なのかとか、旦那《だんな》さんの会社は自分の旦那よりも上なのか下なのか、というような、もう一歩踏み込んで相手と自分の立ち位置を確認しないと落ち着かない人が結構多いという感じがするんですけど。イギリスではそういう感じはあまりないですか?

ブレイディ　ないです。そこは踏み込まないですね。イギリス人はそういうところ、すごくわきまえてる感じがする。それをいえば、日本のコロナ禍の現象でびっくりしたのが、何でしたっけ……警察みたいな人が出てきて、「自粛警察《じしゅくけいさつ》」っていうのかな。

コロナ禍に沸き上がった「自粛警察」

鴻上　自粛警察ですね。

ブレイディ　自粛警察って言葉としておかしくないですか？　自粛って自分の気持ちですることで、警察は法の維持のために働く人じゃないですか。何でそんな己《おのれ》の気持ちのことと法的なことをくっつけてしまうのかって思いました。

鴻上　おかしいし、間違ってるんです。無理して英語で言えば、「クオランティン・ポリス（quarantine police）」ですけど、理解されないでしょうね。そもそも「警察」って呼び名がちょっと良すぎるだろうと思いますよね。自粛暴力団とか、自粛反社会集団とかに替えた方がいいと思いますね。何で警察なんていう、公共の正義をまとっているかのようなネーミングにしてしまったんだっていう違和感がすごいありますね。

ブレイディ　まさにそうなんです。例えばその自粛警察は、開いてるお店に落書きしたり……そういうことをするんですよね。

鴻上　そうです。

ブレイディ　どのお店が開いてるか、わざわざネットに書くということですよね。イギリス人の場合、ＥＵ離脱で一部、本当に差別的になった人たちもいたけど、ロックダウンの時にどこかのお店が開いているのを見たとしても、そこにけしからんと書き込みをするんじゃなくて、こんだけみんな閉めてるのに開いてるってことは、よっぽど経営苦しいんだろうなって考える方向にいきますね。

大文字の政治は政治として、でも、この地べたの自分のまわりの生活はまた違うよねっていう割り切りができてるような気がするんですよ。移民を制限しなきゃいけないと言ってる人たちでも、例えば自分の近所に移民がたくさん住んでるからっていって、そこに寄ってたかって責《せ》め入るようなことはイギリスでは考えられない。日本人は、そこをうまく分けて考えられないのかな。でも自粛警察はネットの世界だけの現象で、リアルの世界にはないことなのかもしれませんけどね。

鴻上　いえ、悲しいですが、リアルでもあります。「店を閉めろ」という貼り紙をしたり県外ナンバーをチェックしたり。僕は「COOL　JAPAN」の番組内で出演者の外国人達に質問したんです。もし、この自粛要請、もしくはロックダウンの期間に、近所でガーデンパーティか何かを開いて密集している人達がいたとして、あなたはそれに対して日本の自粛警察のように、この時期に何をやってるんだという文句を言いますか、と。日本だと、ほぼ間違いなく警察に電話する近隣の人がいる気がするのね。もしくは、警察に通報しなくても、終わった後に郵便受けに、お前ら何をやってるんだみたいな、この地域から出ていけみたいな紙を投函《とうかん》する人がいると思うんです。欧米の人達はだいたいみんな、「別にそれはパーティやってる人達の問題だから、それに対してこっちが何かを言うことはない」と、言ってましたよね。

ブレイディ　それが何だろうなと思う。他人がやっていることで自分がどうこうする考えはないですよね。

鴻上　そうですよねえ。中国人女性は、中国ではドローンでずっと政府がパトロールしてるから、そもそもそういうパーティは開かれない、警察が警告を出すということでした（笑）。

ブレイディ　そういうところはやっぱりコロナ対策もうまくいくんでしょうね（笑）。

鴻上　抑える時はそうですね。あと、ブラジル人の話だと、アイドル系の人気ポップスターがコロナにかかってみんなが同情してたら、コロナの直前に大パーティを自分で開いて大勢が集まってたっていうのが後になって分かった。その時はさすがにブラジル人も怒ったということはあったと。彼女は一応、マスコミ向けに謝罪をしたということでしたけど。

隣近所でパーティ開いてるから文句《もんく》を言いに行くっていう、その日本人の心性《しんせい》というのは一体何だろうってすごく考えますね。

コロナ罹患で謝罪する芸能人

ブレイディ　謝罪といえば、日本の芸能人は、コロナにかかってすみませんと謝ってたじゃないですか。あれは、本当に悪いと思って言ってるのかといったら、そうじゃないと思うんですよ。

鴻上　いや、もう半分半分でしょ。つまり、半分は世間体として言わないとダメだという意識ですが、あとの半分は、仕事場に迷惑かかるっていう申しわけなさはすごくあると思います。

僕、今度いよいよ10月31日から芝居が始まるんです。2020年は2本芝居が飛んで、いい加減このままじゃいかんと思ってやるんですが、冷静に考えたらクレイジーになってるとしか思えない。つまり、この稽古《けいこ》中に誰かもし感染者が出たらそれで稽古はすぐに中止になります。本番が始まっても、もしスタッフや役者が感染したら、公演が中止になるわけでチケットも払い戻しになります。そのリスクを抱えながらやる。正気じゃないですね。もし僕がコロナにかかって、公演が中止になったとしたら、やっぱりスタッフ、キャストやチケット買ってくれたお客さんには謝ると思うんですけど、謝罪会見とか、不特定の人には謝らないですね。

ブレイディ　世間に謝るとか、意味わかりませんよね。

鴻上　関係各位に対して謝る気持ちになるのはとても分かるんですけど、芸能人のみなさんは、幻の世間に対して謝っている感じがすごくしましたね。それはすごく日本的だなと思います。佐藤直樹さんが犯罪者の家族について書いているんですけど、欧米では子供が罪を犯しても親は謝らないんです。でも日本人は謝るんです。それがとても日本的だっていう話と芸能人の謝罪は同じことですよね。ブレイディさんは、そういう日本的なものが嫌で飛び出したんですか？　それとも単にパンクスが好きで飛び出した？

ブレイディ　私はやっぱり日本の抑圧的な部分が嫌だったんでしょうね。もう二十何年前のことだから私は忘れてたんですけど、イギリスに住み始めた頃にできた友達が言うには、私が、「日本は女が住む国じゃない」って、よく言ってたらしいです。だからやっぱり、日本の抑圧的な雰囲気を何か感じてたんでしょうね。

鴻上　まずいです。この対談の結論は「だから日本から出よう」みたいになっちゃうと困るんです（笑）。

ブレイディ　そうそうそう。でも、私は窮屈《きゅうくつ》に感じている人は出たらいいと思うんですけど。

鴻上　あっさり言いましたね。

ブレイディ　だから、デフレをさっさと終わらせてくれないと。日本は物価が変わってないどころか、実質賃金が下がってるじゃないですか。世界は過去20年、それなりに順調に経済が拡大してきてますよね。今、日本人が、私がイギリスに移った時と同じぐらいの金額のお金を貯《た》めてきたところで、留学生が何カ月いられるかっていう話なんですよ。だから最近よく、日本の若者があまり海外に行きたがらないとか言うけど、やっぱりお金の問題も絶対あるはずでしょう。

鴻上　それはもう間違いないです。

ブレイディ　さっさとデフレを終わらせて、若い人は海外に行けるようにしたほうがいいです（笑）。

鴻上　だからまた「反緊縮」の話になってくるんですよね。僕もイギリスに留学したことがあって、確かに、僕とかブレイディさんが海外に行った頃って、向こうからアジア人が歩いてきたなと思ったら、ほぼ日本人だったじゃないですか。

ブレイディ　そう。だけどもう今は……。

鴻上　ほぼ間違いなく韓国か中国の人ですもんね。

ブレイディ　特に中国人は若い人がいろんなところに旅していて、また格好いいですしね。金離れがよくて自信に満ちてるし、センスもいいし、リッチな感じで。若い女の子とか特に格好いい。本当に時代って変わるなって思いますよ（笑）。

鴻上　昔は海外に行ったら、ロンドンも、ニューヨークももちろんそうなんですけど、せっかく外国に来てるのに何で日本語聞かなきゃいけないんだよ、しらけるなみたいな気持ちがあったのに（笑）、今海外で日本語聞くと、お〜若いのが来たか、君は偉いなっていう気分になってしまう。本当に変わりましたね。

ブレイディ　これは経済の問題がすごく大きいと思いますよ。経済が悪くなるとね、ちょっとでも道を踏み外すとそれで終わりだと怖くなるから、「この道しかない」と思うようになるんじゃないですかね。親も「見識を深めなさい」じゃなくて、「堅実になりなさい」になるでしょうし。私たちの頃は、海外に行って多少ふらふらしても、帰ってきたら仕事は何かしらあった時代。

鴻上　僕なんか大学でもう20年以上教えてますけど、学生達に家を出ろ、実家を出ろってずっと言ってきたんです。東京住まいだとしても実家を出ろと。でも、何年ぐらい前からかな。だんだん「そんなお金どこにあるんですか」って怒られるようになって。「実家を出て一人で生活なんかできるわけない。ずっとバイトしろってことですか」「授業に出なくてもいいんでしょうか」と反論されるようになってきました。

景気が悪くなれば、民がおとなしくなる？

ブレイディ　だから本当に経済を悪くすれば……景気を悪くすれば、おかみは民《たみ》を治めやすくなりますよね。

鴻上　それはどういうことですか？

ブレイディ　だって景気が悪くなると、政治のことなんか考えている暇のない人が増える。それに、突き抜けたことをして失敗すると食べていけなくなるから、リスクを恐れてみんなおとなしくなるじゃないですか。

鴻上　生活自体がきゅうきゅうとしてくるし。

ブレイディ　そう。しかも君たちはたくさん借金背負ってるんだよって脅《おど》される。『そろそろ左派は〈経済〉を語ろう』（亜紀書房）という本を松尾匡《まつおただす》さん、北田暁大《きただあきひろ》さんと出したんですけど……。あれを読んだ若い20代の編集者が、「自分は学校で日本の借金について書かされましたよ」って言うんです。

鴻上　国民一人当たりいくらか、という借金の話ですね。

ブレイディ　そう。あれですごく洗脳されて、一人当たり800万の借金を背負ってるんですよという話になったんです。しかも、大学に行く場合、プラス自分の学費とか、地方の子だったらそれ以外の生活費の借金もあるだろうし。

そうなると、大学生とか今一人当たり1千何百万くらい借金を背負ってるのが当たり前になるじゃないですか。そう思い込まされている人たちが、はっちゃけたことできるかっていったら、できないですよね。民をおとなしくさせるには、「お前、借金があるぞ」っていう脅しが、一番縛れる技ですよね。私はそう思います。

鴻上　同感です。だって単なる学生ローンのはずなのに、奨学金なんていうまやかしの名前をつけてますからね。僕、若い奴《やつ》らを集めた劇団をやってるんですけど。この前、女の子のスタッフが「私は結局、大学を中退したんだけど、大学生活で何が残ったかっていったら、奨学金のローンが750万円だけです」って言ったんです。ずっと返し続けていて、あと20年って言ってたかな。45歳ぐらいまで。21歳とか22歳で700万の借金を背負ってると思ったら、そりゃ気持ちは滅入《めい》りますよね。

ブレイディ　そう。そんな状況で、ちょっと私パンク好きだからロンドンに行こうって思考にならないですよね。

鴻上　確かにそうです。

ブレイディ　同調圧力が強くなってるっていう記事が、毎年ネットに出るじゃないですか。入社式の写真で女の子たちがみんな同じような髪型して同じようなスーツを着てる。これが80年代だと、結構みんな違ったんです。まだ自己主張のある髪型と服を着てる。違う形のジャケットも着てましたしね。

でも日本の状況は保守的にならざるを得ないというか、これで一人外れたことをして働けなくなったら、どうやって借金返していけばいいの、と思うのも仕方ないですよね。

最近、芥川賞を取った遠野《とおの》遥《はるか》さんの『破局』（河出書房新社）という小説があるんですけど、受賞時に選考委員たちが、その小説の主人公について「常識・マナー依存」と言ったり、「『ラガーマンがストーカーやファシスト、ゾンビ、自粛警察になってたら』という設定で読むと、不愉快《ふゆかい》極まりない」と言ったりして、話題になってたんです。すごく面白いんですよ。主人公が大学生の男の子で、上の世代から見たら理解できない部分を持った子に見えるんですけど、本当に今時の若者ってこうなんだろうなって思わせる。

その子の行動を決めるものは、「欲望」と「世間」しかないんですよ。だからセックスとか、何か食べたいとか……食欲と性欲が自分の意志というか、能動的に何かをする時の動機になるんですけど、それしかなくて、それ以外は世間的な尺度が動機になる。正義感で動く子なんですけど、その正義は自分の経験から出た考えじゃなくて、お父さんが言ったからとか、全部外から入ってきてる。こう言われてるからこうなんだっていう世間の目で自分をいちいち客体視するんですよ。すごいエリートで、ラグビーですごく体も鍛えてて、それで公務員試験を受けようとしているんですけど。

肉体的な欲望に走るか、世間的に言われている正しさかって、その二つが別々にいきなり朴訥《ぼくとつ》と出てくるから、行動や思考につながりがないんですよ。世間、欲望、世間、欲望っていう、その二つのみで生きてる。だから読む人によっては、主人公は不《ぶ》気味《きみ》というか、気持ち悪かったと言った知り合いの編集者もいましたけど。女の子は大事にしなきゃいけないと父親に言われてるから、突然彼女のために自動販売機で温かい飲み物を買ってあげたかったんだと言う。だけどその場面で温かい飲み物が売り切れでなかったんですね。

そこで主人公はいきなり泣くんです。僕はもしかしたらすごいアンハッピーなんじゃないか、不幸なんじゃないか。でもそこでまた考え方を変えて、世間的に考えれば、自分はすごくいい大学に行ってて、たぶん公務員試験も受かるし、こんな可愛《かわい》い彼女もいるし、幸せなんだから、僕は幸せなんだって、自分の気づきを卑小《ひしょう》化してスッと泣き止《や》んじゃう。性欲、食欲、睡眠欲、暴力欲という肉体的欲望はあるんだけど、自我がないというか。自我を置き換えているのは「世間的正義」なんです。あれって、読みようによっては「世間」の圧の強い世界で育つとどういう人間ができるかという極端な例を見ているようで面白かった。

あともう一つ、小説の話で言えば、この間NHKの「SWITCH」の対談で鴻上さんから世間のお話が出た時に、私なぜか、太宰治《だざいおさむ》を思い出したんですよ。太宰治の『人間失格』で、主人公が自堕落《じだらく》な生活を送っている時に、まわりにいる男性が、君がそんなことをしたら世間が許さないとか、女性をそんな粗末にしたら世間が許さないとか、そんなだらだらしてたら世間が許さないとか言うんだけど。こいつが言ってる世間っていうのは、お前自身のことじゃないかって主人公が気づくんですよ。世間というのは君のことなんじゃないかって。鴻上さんの言う世間が要するに自分を起点にしてその周囲にいる人々のことだとしたら、すごく都合がよく自分で曲げられるものでもあるわけですよね。

「世間が世間が」って言ってるけど、結局それはお前がそう思ってるんだろっていう言葉は、Ｔｗｉｔｔｅｒでもよく見られるじゃないですか（笑）。

鴻上　本当にそうです。それは、やっぱり佐藤直樹さんが言ってますが、社会は法のルールだけど世間はやっぱり情とか気持ちとか絆のルールということですね。

「本音」と「建前」の二重構造

ブレイディ　結局、同じ法に則《のっと》って生きている人の集団ではなく、自分を起点とした人々の集団だから、自分の情を「世間の声」と言ってもオッケーと思うんですよね。

鴻上　そうです。だから何が怖いって、「世間」のルールは、気持ちですから、裁判官が、今日は虫の居所《いどころ》が悪いからちょっと重めの刑にするぞと宣言するようなものなんです。コロナの自粛警察が怖いのは、「世間」が裁《さば》いていて、「社会」の法のルールと違って基準があいまいだから、終わりがないんです。法のルールは、刑期を何年終えるとか、いくら罰金を払えばいいと明確なんですが、「世間」のルールは気持ちですから、好き勝手に変えられるんです。コロナにかかって、引っ越ししても、その先でもずっと後ろ指を指され続ける可能性があるんです。明確な終わりがないことは、本当に怖いです。

僕はちょっと前まで週一でテレビのコメンテーターやってたんですけど……女の子が、「私が一体どんな悪いことをしたっていうんでしょう」って言いながらインタビューに応《こた》える取材映像があったんです。コロナにかかって休んだ後、会社に復帰しようとしたら、「コロナにかかったことを誰かに言ったのか」と上司に聞かれて、「友達と家族にはもちろん言いましたけど」と返したら、「君がコロナにかかったということが分かると会社の評判に影響するから、君はこのままクビだ」って言われたと。上司は「私はいいと思うけど、たぶん世間が（それは上司が想定する世間で）、他の人達が許さないだろう」っていうずるい二重構造を持ち出して逃げるんです。

ブレイディ　それ、確かに二重構造ですね。

鴻上　そう。「それ、あんたのことでしょ」って言われたら、「いや、私はいいと思うんだけど、世間がダメって言うんだよ」と。

ブレイディ　都合がいいというか、便利なもんですよね、そう考えれば。

鴻上　芝居の稽古初日にはみんなで集まって飲むという懇親会《こんしんかい》をいつもやってたんですけど。今コロナだから集まれないんですね。

でも今回の舞台は役者が4人しか出演しないので、じゃあ、僕を含めて演出家と役者の5人で個室で飲みますか、と誘ったんですけど、それでも俳優のいくつかの事務所から、いや、それはダメですという返事でした。それはもう一つ踏み込むと、たぶんマネージャー達は「いや、私は全然問題ないと思うんですけど、もしこの飲み会が世間に漏れたら、何言われるか分かりません」と身構えているんだと思います。なんだか生きづらいですね。この話してると、また日本は……みたいな話になっちゃいますね。

ブレイディ　なっちゃうんですけどね。

鴻上　もちろんね、海外に出たいっていう若い子もいるんです。今、桐朋《とうほう》学園芸術短期大学というところで演劇を教えてるんですけど、最近、アメリカで女優兼コメディアンになった教え子がいるんです。結構ふくよかな子で、自分でプラスサイズモデルって言ってたかな。その子は、それまでは自分の体形がコンプレックスだったけど、アメリカに行って本当に楽になったって言ってました。

ブレイディ　そうでしょうね。わかる、わかる。日本ってやっぱりルッキズム（容姿《ようし》による判断や差別）が酷《ひど》いですからね。

鴻上　それはもうすごく晴れやかな顔でネットのインタビューを受けてるんです。学校もそれを壁に貼ってるんですけど、たぶんこれで救われる子が何人も出てくると思うんですよ。ただ、素敵《すてき》なことだけど、アメリカに行かなきゃ楽になんなかったのかって思うと、ちょっと辛《つら》い話ですよね。

ブレイディ　日本もいいところはあるんですけど……っていうことをね、先に言ってから話さないといけないという。こんなこと、昔はなかったと思うけど。

鴻上　本当にそう。『同調圧力』の文章から反日ばかりを読み込むんだったら、もう何を言ってもダメかなみたいな気持ちになることもあります。そうなるともう100パーセント日本を礼賛《らいさん》する本しか売れないのかと。そうするともう、あっという間に戦時中の、「我が民族は世界で最も優秀な民族である」という信仰まですぐ行っちゃうんじゃないかと、心配になります。

ブルシットジョブに傷ついた人たち

ブレイディ　でも保守派の中にも、きちんと日本のことを、これじゃいけないんだって批判する人たちもいらっしゃるじゃないですか。だからそういう反日とか言って騒ぐ人たちは本当に保守なのかって疑問です。

だって日本のことが好きで愛国心があるんだったら、今のままでは日本は衰退するのでダメで、変えなきゃいけないんだと考えて海外のことを勉強して、日本もこの考え方は採り入れるべきとか思うはずですよね。実際、そういう保守の方もいらっしゃいますし。

だから反日だなんだと言い続けるという思考は、政治思想の問題じゃなくて、日本いけてるとか、日本いいみたいに礼賛することにしかもう、プライドを見つけられないぐらい、自分がブルシットジョブで傷ついた人たちかもしれないですね。そのグレーバーの『ブルシット・ジョブ』に書いてあるんですけど。今、カルチャーが変わってきたのは、ＴｗｉｔｔｅｒのようなＳＮＳの台頭で説明がつくというんです。ＳＮ

Sが台頭してきたのは、ブルシットジョブが増殖しているからだと。Twitterの投稿は何かをしながらできるものじゃないですか。

鴻上　なるほど。

ブレイディ　だって一日じゅう政治ニュースを見て、ああだこうだってTwitterに書いてる人って、どう考えてもブルシットジョブをしている人たちじゃないですか。だって保育士や看護師をしてたら、そんな暇ないですから。やっぱりオフィスの管理職なんかで、そこそこ時間がある人がしてるわけですよね。実際、ネトウヨと呼ばれるような人たちも、若いニートがやっていると思われてましたけど、調査してみたら平均年齢は40代で、所得も低くなく、経営者や管理職が多いという記事が「週刊東洋経済」に出てましたよね（2019年4月6日号「ネトウヨは『男性7割』で『平均年齢42・3歳』」）。

60年代、70年代は、経済が上向きの時代だったから自由な発想でいろんなことができたっていうのはどこの国でもあると思うんです。ロックバンドを作ったり実験的な演劇をやったり、自分の時間と能力のすべてを注ぎ込んでやるカルチャーが生まれた時代だった。
今はブルシットジョブをしながら、コンピューターでSNSに投稿するっていう〝ながらカルチャー〟が主流になっていて、それが他のメディアや表現形態にも大きな影響を与えている。昔のカルチャーと今のカルチャーの違いはそれで説明がつくと、グレーバーは書いてるんですよ。私、それを読んだ時、本当にそのとおりだと思いました。

鴻上　いや、そうですよ。

ブレイディ　〝ながらSNS〟をやってる人がブルシットジョブをしてる人たちで、そこでストレスやうっ憤《ぷん》を晴らしているとしたら、あまりポジティブなことは言わないですよね。だからすぐ「反日勢力」とか言う方々は、日本のことを思って政治的に本気で考えてるというよりは、単にブルシットジョブをして精神的に傷つきながら、誰かを傷つけたいという負の心に陥《おちい》っているのではと思います。

鴻上　「反日」を攻撃する方々ね。それはイギリスの右翼でいえば……。

ブレイディ　UKIP（イギリス独立党）？　イギリスは他にもいくつかあります。ドイツも極右《きょくう》勢力みたいなのが台頭しているし、ヨーロッパはここ数年、「フェモナショナリズム（femonationalism）」といわれる動きがあります。極右政党の女性のリーダーが増えているんです。若くて、インテリっぽくて、一見するとリベラル政党の人にしか見えないような、極右の女性指導者たち。彼女たちは反ムスリム的な心情を煽《あお》って勢力を伸ばしています。ムスリムの人たちは今でも家父長制が強い文化だから、ムスリム層が増えると、我々が今まで築いてきた女性の地位が脅かされる、みたいなナラティヴ（自分自身によって語られる物語）を拵《こしら》えて、ちょっとフェミニズム的なスタンスを演じることで女性の支持を集めてる面がある。

鴻上　日本で「反日」を攻撃する人達の中でも、中国や韓国を攻撃するヘイトやレイシズムに対しては、ある抵抗や摩擦《まさつ》が起きることがあります。さらに、昔は垂れ流しだったんだけど、今は割とアンチというか、ちゃんと対抗する勢力があるので、そう簡単には言えない雰囲気ができてきたと感じます。

イギリスのＵＫＩＰは例えばパブで、「俺はＵＫＩＰを支持してる」という立場を簡単に言えるものなんですか。

ブレイディ　結構隠してる人も多いと思いますよ（笑）。同じ支持者ばかり集まってる場では違うと思いますけど。

鴻上　そこはやっぱりちょっと抵抗があるわけですね。労働党、保守党のような主流政党の支持だったらパブで言えますか？

ブレイディ　それは全然言えますね。うちの息子が小学生の時からそうでしたけど。イギリスは選挙の前になったらみんなが政治の話をします。なになにちゃん家《ち》は労働党支持らしいとか、なになにちゃん家は保守党らしいみたいな話を普通に小学生もしてますよね。

鴻上　日本は政治の話がタブーで、18歳から選挙権を持つことになったのに、大人扱いしてない。前にも言ったけど、政治活動をする場合は学校に報告せよという通知を出したりするくらいですから。

ブレイディ　でも、社会には法律があって、システムがあって——つまり、法で規定された一定のシステムの中の人々の集まりだということだとすれば、日本で社会が育たないのは、やっぱり教育の影響もあるのでは。

　イギリスでは、前のトニー・ブレアの時の労働党が採り入れたカリキュラムですけど2002年から、シチズンシップ教育が実際に導入されている。それ以外でもイギリスの教育が本当にすごいと思ったのは、今回のロックダウン中に息子の学校から出るオンライン授業の課題がすごいんですよ。ちょうどロックダウンに入る直前に、国語の授業でジョージ・オーウェルの『動物農場』を読んでたらしいんです。

　それでロックダウンに入ったら、その『動物農場』にならって、動物を主人公としたロックダウン下にある社会のアレゴリー（寓意《ぐうい》、たとえ話）を書いてこいという宿題が13歳と14歳のクラスに出るわけですよ。その時にちょうど話題になってたのは、ジョンソン首相。ほら、彼は自分がコロナにかかったじゃないですか。

それであの方、退院後に、自分が生死の境を彷徨《さまよ》ってた時に二人の看護師さんが夜も昼もずっと一緒にいてくれたって感謝した。二人とも移民の方だったんですよね。一人はポルトガルで、一人はニュージーランドから来た看護師さん。ジョンソンさんといえば、ＥＵ離脱を率いた人で、結構排他《はいた》主義的なことを言ったりして問題になったりしたこともありましたが、その人がその二人を名指ししてどうもありがとうと感謝を口にして、これはすごいアイロニック（皮肉）じゃないですか。だからうちの息子によると、やっぱりそれについて書いてる子が多いと（笑）。

鴻上　すごいですね。だってジョンソンは、社会は存在したって言ったでしょ。

ブレイディ　そう。彼は3月にロックダウンするって宣言した時に、補償とセットにしましたよね。給料の8割補償します、とはっきり言った。保守党にしては太っ腹。その頃にＮＨＳの人たちに拍手しましょうとか、キーワーカーに拍手しましょうとか、すごくそういう雰囲気が盛り上がっていましたから、あの空気を読んでの発言ですよね。

「社会はない」って言ったのは、彼の保守党の大先輩のマーガレット・サッチャーじゃないですか。だからそれを裏返すつもりで言ったことだと思うけど、国民はけっこう醒《さ》めてて、ふ〜んというぐらい（笑）。あれに大感動したって人はあまりいないですね。

サッチャーの「シンパシー」と「エンパシー」

鴻上　サッチャーはどういう意味で、社会がないって言ったんですか？

ブレイディ　サッチャーは、実は保守党にあってはすごい苦労人。二重のハンディを背負い、トップの座に上り詰めた人だといわれている。その一つは、もちろん、圧倒的に男性議員ばかりだった当時の政界で、彼女は女性であったということです。そしてもう一つは、階級的なものでした。だいたい保守党は貴族議員とかが平気で存在するエスタブリッシュメント政党でした。その中にあって、サッチャーは街の食品・雑貨屋の娘でした。でも、彼女のお父さんは、街の商店の店主から地元の名士になり、市長を務めた人だった。ちょっと成功した庶民というポジションです。だから、サッチャーは「成り上がった庶民」みたいな目で見られて、保守党では浮いていたというか……言ってみれば、階級的には保守党の中の地べた派だったわけですね。

でも、成功した労働者階級の人ほど「自分の努力で何とかする」という考え方が好きだし、父親を非常に尊敬していたというサッチャーにもそういうところが濃厚にあった。いわゆる「自助」という考え方に染まっていた。そして、サッチャーが出てきた70年代は、「ゆりかごから墓場まで」の福祉国家が行き詰まって、次の何かを人々が探し求めていた時代。イギリスは社会保障を手厚くしすぎて人々が働かなくなったとか言われて、「英国病」という言葉がでてきた頃でした。

鴻上　ありましたね。そういう時代でした。

ブレイディ　あれもね、結局イギリスは76年に事実上の財政破綻《はたん》状態に陥って、ＩＭＦ（国際通貨基金）から救済を受けています。で、その代償としてＩＭＦから出された条件が、大幅な公共支出の削減だった。いわゆる緊縮財政というやつです。近年で言えばギリシャの債務危機と似たようなもので、ＩＭＦに緊縮を強《し》いられちゃった。

緊縮になると、公務員の給与は下がるし公共サービスは縮小される。その影響を受けて経済全般も不況になる。労働者に不満が広がり、すごい広域なストライキが起きちゃって、街の中にゴミがあふれているのに回収に来ないから悪臭がするような惨《さん》状《じょう》にまでなっていた時にサッチャーが出てきた。彼女は、これからはもう国とか、社会とかに頼っちゃいけない、そういう時代は終わったと訴えたわけです。あの人は本当に自助の思想が好きだった。

鴻上　はい。分かります。つまり、苦労して成功した人はだいたい自助を語りますね。自分はできたんだからっていう論理。

ブレイディ　そう。あなたもできるはずと言う。

鴻上　だから今の菅総理もそうなんですよね。バイオグラフィーを見ると、議員秘書から入って政治家になった、二世や三世とは違う経歴なんです。だからみんなが自分と同じぐらいの努力ができるっていう思い込みがどこかにあるんだと思います。そういう親は、一番子供が困るパターンですよね。親は頑張ったんだからお前もできるはずだ、子供もやるのは当たり前だと思ってる。子供からしたら、すごくしんどいことですよね。

ブレイディ　最近、実は菅政権誕生でサッチャーのことを思い出し、エッセイを書いていたんです。それでBBCで放送されたサッチャーのドキュメンタリーをまとめて見てたら、サッチャーの私設秘書官だった人が、「マーガレット・サッチャーという人は、シンパシーはあったけど、エンパシーがない人だった」って証言してるんですよ。

苦労した人だから、官邸で働いてる人なんかには優しかったんですって。誰かの家族に不幸があったり、病人が出たりすると、サッチャーに知らせるのを躊躇《ちゅうちょ》するぐらい。彼女はその時にしている仕事を全部やめて、心配してしまうから。警護官や運転手にまで、気遣いがあったそうです。要するに、自分を中心とした身の回りには優しかったわけですよ。ところがあの人は国民に向けては、もう国に頼ってちゃダメです、自助でやりなさい、と福祉や公共サービスを切って、小さな政府にしていったわけです。自分が知らない人たちのことを想像して政策を考えるのは苦手な人だったけど、やっぱり自分の回りの……つまり鴻上さんの言う「世間」にはすごく優しかった人らしいですよね。「社会」は存在しないと言いながら。

「社会」の対話を作るための教科書

鴻上　今ね、僕、小学校の教科書編集委員なんです。内容を決めるんだけど。まず最初にシンパシー、エンパシーの話をして、エンパシーが育つような教材にすべきなんだっていう話をしてるんです。そのシンパシーとエンパシーとはどういうものか、シチズンシップ教育とは何かっていうことが分かりやすく書いてある本があったら、まわりの編集委員をちゃんと説得できるのになと思ってるんですよ。日本の道徳を変えなきゃいけないと思ってて。

小学校と中学校の道徳の教科書を、全部集めて読み始めてます。安倍政権時代に正式な教科として道徳教育を始めてるんです。「節度、節制」とか「国や郷土を愛する態度」などの日本の伝統的な価値観を育てるための道徳になってるんです。それは結局、「世間」を強化することにしかならないと思ってます。「社会」との対話を作ることにはならないんです。

経済はすごく大事なんだけど、同じぐらい大事な教育を変えるためには、道徳の代わりに、シチズンシップ教育が必要になる。道徳を安倍政権時代に導入する時に、海外も道徳の科目はあるんだっていう説得の仕方をしてる。それがどうもシチズンシップ教育のことを言ってたみたいなんです。

ブレイディ　でも、シチズンシップ教育というのは道徳というより、政治的な人間を作ろうとする教科ですよね。政治に関心がある人間を育てている教科という気がします。

鴻上　市民社会にちゃんと参加できるための教育ということですよね。自らの権利を自覚し、市民としてできることと、やるべきことを明確にしていくっていう話ですね。

ブレイディ　例えば礼節を重んじることを教えるような道徳とは、ちょっと違うのかなって思いますね。

鴻上　違います。でも、国はシチズンシップという言葉で突破しようとしたんだろうと思います。だって道徳に当たる授業みたいなもの、ブレイディさんの息子さんはやってないでしょ。

ブレイディ　道徳ではないですね。道徳の代わりにあるとしたら「ライフスキル」ですよ。ライフスキルズっていう授業があるんです。息子の学校の場合、まだ低学年のうちは、シチズンシップ教育もライフスキルズの時間に一緒に入れられてましたね。

ライフスキルズのほうでは性教育やLGBTQの話、それにお金についても、その授業で学びます。

お金の管理の仕方や銀行の仕組みについても習っていて、それがシチズンシップ教育になると財政の話に拡大していく。イギリスの中学生は、最終学年で「GCSE」という義務教育修了時の全国一斉《いっせい》試験を受けますが、シチズンシップ教育はその受験科目の一つにも入っています。

政治参加する人間を育てる、英国のシチズンシップ教育

鴻上　義務教育修了時にですか。

ブレイディ　そうです。全国一斉試験なんですが、コアの国語、数学、科学以外は自分で教科を選べるんですよ。うちの息子はシチズンシップを選んだ。

それで最初に習ってるのが、ブリティッシュバリューとは何かというテーマ。ブリティッシュバリューは、いわゆる日本人らしさというようなことじゃないんですよ。英国の価値観とは何か……デモクラシー、法の支配、多様性、言論の自由の四つだと教わったようです。で、これについて家で親と話し合い、それをレポートにまとめてこいって宿題を出されるんです（笑）。

そこで親と子の世代的な意見の差も見えますよね。うちの場合は私が外国人だから、日本はどうなのっていう話になる。うーん、日本のデモクラシーか、そういえば日本は森友問題っていうのがあってね、あれもまだ解決してないし、とか話していると、日本は透明性がないらしいとかレポートに書かれてしまっている（笑）。

鴻上　そのとおりですね。僕はTwitterで、森友問題が噴出してる時に、民主主義、デモクラシーっていうのは欧米が血を流した歴史の中で獲得したものだから、その経験がない日本というのは、デモクラシーがまだ定着してないんだとつぶやいたんです。そしたら、日本には日本のデモクラシーがあると思いますって反論が返ってくる。なんでもかんでも西洋の真似《まね》をするんじゃねえよ、日本的なデモクラシーを作ればいいだけよっていう反論です。それはもうデモクラシーとは何の関係もないと思うんですが、この突っ込みに何て答えたらいいんだろうなと、脱力しましたね。

ブレイディ　シチズンシップの授業は政治参加できる人間、自分の頭で考えて、自分の言葉で自分の考えを喋《しゃべ》れる人間を育てようという目的がある。……あれはシチズンシップ教育じゃなくて、ICT（情報通信技術）の科目の宿題でしたけど、何か一つテーマを決めて、一次データと二次データの両方使ってリサーチするという課題がやはりロックダウン中に出ました。一次データというのは、要するに自分で直接取材をしたり、インタビューをしたりしたネタやデータで、二次データというのは、どこかの世論調査の結果とか、出版物やネットに載ったりしてる、自分で調べたわけではないデータですね。その両方を使って何か一つのテーマについてリサーチしてこいという課題が出たのですが、休校中だし、外出も禁止だから、自分で取材するのは難しい。

それでうちの息子が世論調査会社のサイトを見ていたら、サッカーとレイシズムについて、大人を対象にして調査した結果が上がってたのを見つけた。「今でもフットボールにはレイシズムがあると思うか」という質問と答え。これと全く同じ質問を自分の友達にＩｎｓｔａｇｒａｍで流して答えを集めたら、それが一次データになって、それと二次データを比べて、そのフットボールとレイシズムに関する意識の世代間における差をリサーチしたんですよ。

これは、要するにニュースを新聞で読んだりテレビで見たりした時に、それが一次データか二次データかということが判別できるようになる訓練じゃないですか。

鴻上　なるほど。それはすごく素敵な授業ですね。

ブレイディ　そしたら例えば、「ツイッターで〇〇という識者がこういう情報を流していた」みたいなことがどこかのネット記事に書かれていたとして、これはこの記事を書いた人が自分で取材してゲットした情報じゃないじゃん、二次データだけだよね、ということがわかるようになる。

鴻上　そうですよね。ましてや不明な二次データだということも判別できるようになるでしょう。「俺の友達の友達が言ってたんだけど」みたいな話が出ても、それは誰だっていうことを見極める判断力が、培《つちか》われますね。でもその意識が緩《ゆる》い人は「テレビで言ってたらしいんだけど」って言う。「〇〇」という番組で昨日、言ってたんだけどっていうんだったら二次データとして成立するけど。「テレビで言ってたらしい」というのは、もはや二次データでさえもないっていう意識が芽生える。いいレッスンですね。

ブレイディ　もう一つ言えば、歴史の授業。学校が再開して最初に授業でやったテーマがブラック・ライヴズ・マターー。奴隷商人だったエドワード・コルストンという人の銅像がアメリカのブリストルにあったんですが、あれが引き倒されて海に投げ入れられたことは、世界中でニュースになりましたよね。あれはイギリスで大きな論争になったんですよね。歴史的なものを壊すのはただのバンダリズム（芸術・文化の破壊行為）じゃないかという人々もいて、いや、こういう経過を経て時代は変わっていくんだ、変化を恐れるなという意見もあって、メディアや地べたでもすごい論争になったから、これについてどう思うかと最初の歴史の授業で話し合ったらしいんですよ。

ロックダウン中だから、家で親とその話をしてた子も多いと思うし、なかには親が話した内容なのかと思うようなすごく保守的なことを言う子もいたそうです。

いや、本当にその銅像が気に入らないんだったら、銅像が気に入らないかどうかその市で住民投票をやって、嫌ってる人が多かったら撤去すればいいんじゃないかと言う子もいたり、いろんな意見が出るわけですよ。

結局、一番多かったのが、落書きアーティストのバンクシーが確かＴｗｉｔｔｅｒで書いていた意見ですけど、銅像の首をロープで巻いて、みんなで引き倒している姿を模《かたど》った銅像を新たに歴史的な記念碑として作っておけばいいんじゃないかっていう意見。そしたら、その銅像を元の場所に置きたい人もハッピーだし、ブラック・ライヴズ・マターの人たちもハッピーなんじゃないかと、バンクシーは書いていたんですけどね。

うちの息子のクラスでは、その銅像をバンクシーのツイートのようにするのもいいんだけど、銅像の側に、例えばみんなが海に沈めてるような写真とか絵を張った記念碑を隣に作るとか、あるいは、銅像の脇にその時のニュース映像のまとめをエンドレスで映写する小さな建物を作ったらいいんじゃないかっていう意見も出た。それで、これはすごいなと思ったのは、どうしてそうしたほうがいいのかっていう質問に、「未来の人たちの知る権利のため」って言った子がいるんですって。「人間というのは、今生きてる人だけじゃない。未来に生きる人たちにも、過去に起きたこと、つまり、今この時代に何が起きてるかということを知る権利がある。だから、未来の人たちが、今イギリスで起きたこういうことを知るために、自分たちは記録を残さなきゃいけない。だから、未来の人たちの権利を守るためにそうしたほうがいいと思います」って言ったらしいんですよ。

鴻上　いい話ですねー。

ブレイディ　こういうことを14歳が学校の、しかも歴史の授業で話し合う。日本の歴史の授業は、年号をすごい覚えさせられたり……。

鴻上　そんな授業が当たり前になってきたら、公文書を改ざんすることがどれだけ愚《おろ》かなことか、ということも分かるでしょう。公開請求された文書を、真っ黒に塗りたくって公開することがどれほど愚かということもよく分かりますよね。

やっぱり「sameness」の問題ですかね。日本の小学校の国語の授業だと、クラスで話し合うという科目があるんだけど、キャンプに何を持って行こうということを話し合おうと書いてあるわけです。そうじゃなくて、どうせ話すなら「クラスキャンプは強制で行くべきか強制はやめるべきか」とか、「海に行きたい人と、山に行きたい人に分かれたら、どうやって選ぶべきか」、なんて内容がいいと言ったんです。思わずみんな議論したくなることをテーマにした、もうちょっと話す意味があるものにしませんかという提案なんですけど、教科書はなるべく物議が起こらないような内容にしようという暗黙の了解が教科書会社の人にも執筆者にもあるんですね。なにせ、文部科学省が検定するんですから。

ブレイディ　息子の学校の課題の内容を聞いてて思うんですけど、やっぱり先生たちが生徒たちを退屈させないために工夫してると思うんですよ。今起きてることを話し合わせて子どもたちの関心を引くための授業をしようと。そのほうが、きっと面白い。でも、先生たちにも覚悟が要《い》りますよね。そんなことを学校で話し合うなって怒る親もいるかもしれないし。

新自由主義がたどるルート

鴻上　日本なら、怒る親が絶対いると思いますね。議論の国じゃなくて、根回しと情と絆の国なので。でもはっきりしてるのは、今後ますます日本人は多様性を突きつけられるということです。何かの文章で、昔からイギリスは20年後の日本だと言われてるっていう表現を知って、へぇと思ったんです。面白いなと。

ブレイディ　いや〜。私はずっとイギリスのこと書いてますけど、昔はね、イギリスは、ちょっと先の日本という感じがするっていう読者さんたちからの感想が多かったんです。でも最近は、これ日本もまるで同じじゃないか、もう日本もここに来てるよねっていうような感想を結構いただきますよ。

鴻上　じゃあ、20年はオーバーだって感じなんですね。

ブレイディ　だと思いますよ。だって多様性も進んでないと言われますけど、私なんか近年は東京に行ったら大してロンドンと変わらないなと思うぐらい、それこそ本当にコンビニに行っても、ビジネスホテルに泊まっても、外国からいらしている方々がたくさん働いていらっしゃいます。

鴻上　でも、だからこそ『ぼくはイエローで～』はあれだけ売れてるんだと思いますよ。ヘイトと差別と多様性の中で混乱してる人がいて、絶対これは遠い将来のことじゃなくて、本当にいつでも我が身に降ることだと思うから、その切実さをもってみんな読んでるんだと思いますね、ブレイディさんがイギリスに渡った後の23年の間でやっぱり日本の状況はイギリスに似てきたんでしょう。

ブレイディ　だいたい新自由主義を進めてれば、どこの国も同じようなルートをたどることになるし、でも、このコロナで世界は、「新自由主義はやっぱりヤバいよね」と完全に気づくことになりますよね。だからこそ、ジョンソン首相も「社会は存在しない」というサッチャーの発言を裏返したことを言って人気を取ろうとしたわけですから。この非常な状況下では財政拡大しないといけないよねって、あのドイツでさえ言い出してるような時に、日本ではまず自助っていう概念がなぜか今さら出てきてますけど、世界に逆行してマーガレット・サッチャーの亡霊を呼び戻すつもりなんでしょうか。

鴻上　その自助っていうスローガンを出す政権の支持率が非常に高いところから始まりましたからね。みんな自助の決意をしたのかと驚きました。

ブレイディ　でもあれは、首相は二世議員とかじゃなくて、庶民の出身で苦労した人、というストーリーで支持が上がったわけですよね。ここもサッチャーと似ている。

緊縮を主張する人たちのカラクリ

鴻上　さっきの『そろそろ左派は〈経済〉を語ろう』の話ですけど、緊縮を主張する人達のカラクリをちゃんと知っておくべきですよね。いわゆる、国民一人ひとりの借金っていう国債が、自国通貨の場合と、外国債の場合では意味が全然違うとか、2パーセントのインフレ率まで行かない限りは、自国通貨の国債をどんどん出しても問題ないんだとか、そういうことは、たぶん一つの希望としてみんな知っててもいいですよね。詳しくは、本を読んでもらわないと理解できないんですが。

ブレイディ　でもそれを言うと、いまだに左派の人からめちゃくちゃ叩《たた》かれますけどね。

鴻上　どうしてですか？　それは違うよってことですか？

ブレイディ　一部の左派の人はあの本が嫌いみたいです（笑）。一つには、左派を批判する人々は反左翼であり敵だという感情的な問題があるし、もう一つには、やっぱり学校で国の借金について書かされていたというぐらいですから、「日本はこのままでは財政破綻する」論が、頭だけでなく体にも染《し》みついていて、そこから抜け出すには天動説と地動説ぐらいの、大きな考え方のシフトが必要だからだと思う。「実は結構大丈夫なんですよ、ほかのやり方があるんですよ」とか言われても、「じゃあこれまでの自分の我慢や不幸は何だったんだ」って逆ギレしたくなる気持ちはわからなくはないです。

でも、本をちゃんと読んでないのにＴｗｉｔｔｅｒで頭ごなしに批判する人たちを見ていると、自分で自分の首を絞《し》めてどうするのよと悲しくなったりする。最後まで読んでくれればわかってくれるかもしれないのに、読んでもないのに言う人が多いですよね。Ｔｗｉｔｔｅｒこそ「世間」の集まりですよ。エコーチェンバー（反響室の意。閉じた空間で特定の意見が増幅する現象を指す）って世間ですもんね。

鴻上　本当にそうです。日本ではＴｗｉｔｔｅｒが「世間」を強化する措置になってしまったんですよね。本当は、「社会」と出会うためのツールだったはずなんですけど、苦しい状況になればなるほど、手近な温《ぬく》もりというか、安心を求めてしまうんでしょうね。でも一番最初の話に戻ると、困ってる人はいませんかって自分の電話番号書いて家の壁に貼るような人達だったら、Ｔｗｉｔｔｅｒも社会と出会うツールとして使いこなすでしょうね。

不安になったり、ブルシットジョブをやってて疲れきってると、手近な世間とつながるためのツールになってしまうっていうことですよね。

僕が早稲田大学で教えてる時、女子学生にそれはインターネットのすごい見事な使い方だねと言ったことがあったんです。その女子学生の親が離婚して、まだ50代の前半ぐらいだった母親が化粧もしなくなってどんどん魅力がなくなっていくのが、娘から見てて悲しい気持ちになったんです。で、その女子学生は、インターネットの掲示板に、「真面目なおつきあいを求めます」と母親の年齢を書いてアップしたんです。50代ですから、男性達も真面目にメールしてきて、女子学生は、全員に職業とか趣味とかいろんな質問をして、３人に絞ったんです。そして「ママ、この３人は信頼できると思うよ」と知らせたんです。母親は最初は、「バカなことしないで」という反応だったのに、だんだんおシャレをするようになって、昔のように生き生きしてきたっていうんです。素敵な話だなあと感激しました。
だけどＴｗｉｔｔｅｒは本当にエコーチェンバーだし、分断と対立を煽《あお》るための道具になってしまってると感じますね。

Ｔｗｉｔｔｅｒとリアルの乖離

ブレイディ　確かＴｗｉｔｔｅｒでは英語の次に多くつぶやきに使われている言語が日本語なんですよね。ああいう小さな世間を作って、「いいね」でつながっていくところが、世間好きの日本人に向いているのかなと思ってたんですけど。

鴻上　あと、言葉としても１４０文字なんだけど、漢字があるから、結構英語の何倍も情報量が入るじゃないですか。
結局、人間は楽な方に傾く。１４０文字は、誰でも「ながら」で書ける。ながらで自己表現できるものにどんどん流れていく。昔のブログだと、それなりの内容がないと人は読んでくれなかった。で、次はFacebookになった。で、今はもう140文字でしょ。さらにInstagramになると、写真一枚なわけじゃないですか。

ブレイディ　そうそう。だんだん短くなってますよね。

鴻上　インスタは、美女美男君のメディアだと思うんですよね。だからやっぱり美的に、ルッキズムの勝利者が一番美酒を得るのがInstagramだと思いますね。僕はやっぱり言葉が好きだから、どうしても自分を啓発してくれる言葉と出会うためにTwitterは手放せないんだけど、でも、同じぐらいのマイナスをTwitterは背負うようになってきましたよね。

ブレイディ　私の本で今までTwitterで一番話題になって、すごいリツイートされたのは、たぶん『そろそろ左派は〜』なんですよね、賛否両論でした。『ぼくはイエローで〜』はそれほどリツイートされていないんです。最近も本の公式Twit terで読書感想文キャンペーンを立ち上げて、10冊ノートをプレゼントしますと言ってるのに、このままではノートが余るかもっていうたいへんな事態に陥っています(笑)。Twitterだけ見てたら、あの本、そんなに売れてないんですよ。書店員さんもよく言うんですけど、Twitterと売り上げはもうそんなに連動してないよねって。

Twitterで全く話題になってない本が、すごく売れてたりするから、たぶんリアルの世界と乖離《かいり》が激しくなっているのかもしれないですね。逆にTwitterだけ見たら、バカ売れしてるんじゃないかっていう本がそんなに売れてないということも、往々にしてあると書店員さんは言ってました。

鴻上　それはつまり、140文字で言いやすい本と言いにくい本っていう違いなのかもしれないですね。『ぼくはイエローで～』は、やっぱり書くとしたら、面白かったとか、感動したとかだけじゃない、ちゃんとした感想を書くためには文章能力がいるでしょう。でも、攻撃するだけだったら文章能力はいらないから。

「Zoom画面ではどこが上座か」問題

ブレイディ　日本は文化的に、特にブルシットジョブの抑圧が多いんじゃないかなという気がするんですよね。職場でも上司が帰らないと自分が先に帰れないみたいな空気がまだあるんじゃないでしょうか。そうなると、その時間を潰すためにどうでもいい仕事を自分で作らなきゃいけない。イギリス人だとそのへん、自分の仕事が終わったら帰るよ、というドライなノリがありますからね。

鴻上　それは世間のルールの一つ、「共通の時間を過ごすこと」ということですね。同じ時間を過ごすことが、同じ「世間」に生きていると認定される条件ですから。だから、上司が帰るまで帰れないし、ダラダラ続く会議は議論することより一緒にいることが重要なんです。

あと、自分が生きている場所が強い世間かどうかジャッジする一つの方法は、自分の職場やまわりにどれぐらい「謎《なぞ》ルール」が多いかどうかです。

コロナ禍でＺｏｏｍ会議が多くなり出した時に、マナー講師系の人に企業から「Ｚｏｏｍの画面表示ではどこが上座《かみざ》なんですか」という問い合わせが増えたそうなんです。

あと、「平社員が先に入って上司が後から入ってくるのは失礼になるんですか」とか「一回上司が入ってきたら、抜けてもう一回入らなきゃいけないんですか」というのも。マナー講師の方が呆《あき》れるような問い合わせでした。その後、Ｚｏｏｍは、画面表示の順番を変えられる機能をつけたんです。世界的には、誰に注目して欲しいかというホストの利便性のためにつけたんだけど、日本では上座機能と呼ばれてるみたいです（笑）。

たぶん、こういう謎ルールは銀行とか役所とか学校とか大企業とか、古くからある組織にたくさん残ってる。変わらなくても、とりあえず続いているところは「世間」が強く残るんです。そういう職場は、すごく生きづらいところだと思いますね。そういう謎ルールが多い職場だと、ブルシットジョブの割合も大きいんじゃないかと思います。

ブレイディ　絶対そうですよね。グレーバーは、現代のメンタルヘルスの問題を抱えた人が増えている現象も、やっぱりブルシットジョブの増加で説明がつくんじゃないかって書いてるんですよ。日本では、顕著《けんちょ》にあるんじゃないかなっていう気がするんですよね。

鴻上　顕著でしょうね。だってそれこそ学校の先生の、髪の毛が眉毛《まゆげ》にかかってるかどうかやリボンの色と幅のチェックや、地毛が茶髪の生徒に証明書を出させるなんていう仕事は、完全なブルシットジョブですよね。

ブレイディ　グレーバー風に言えば、たぶん先生たちも、気づいてるんですよ。何か私バカなこと言ってるし、誰のためにもならないことをやってない？って。なのにしなきゃいけないという状況は、すごいやっぱり精神的な負担になりますよね。それはやっぱり精神的な傷になると思うから、先生たちも解放されないと辛《つら》いですよね。

自分の頭で考えて議論する教育

鴻上　アウシュヴィッツにこの前取材に行ったんですけど、ヨーロッパでは、15歳から25歳までの間にアウシュヴィッツを訪れるのが良いと教育関係者は言っています。それは、15歳以下だとちょっと刺激が強すぎてちゃんと受けとめられない。でも25歳を過ぎると、一回決めた自分のポリシーはなかなか変わらない。だから柔軟に現実を受け入れて思考できる15歳から25歳の間に、ヨーロッパの学生達は、一回はアウシュヴィッツに行けることが望ましいと言われてるんです。変わらない人はなかなか変わらないだろうから、15～25の間の人達に、こんな悲惨なことは繰り返さないようにしようっていうことを伝えるのが良いと。

ちゃんとした歴史教育は、15歳から25歳までの間に必要だということです。

僕がTwitterに、校則の理不尽さについて書いてると、校則に文句を言う大人もいるんだという発見と喜びで高校生や大学生が「ほがらか人生相談」に投稿してくれたりするんです。「無意味な校則にこれだけ傷ついた」という内容で。そういう時、やっぱり15～25歳の間に、リクルートスーツやランドセルの習慣が続いていることの理由……それは日本文化や経済や教育の問題だということが伝われば、変わってくる子も増えてくるかもしれないっていう強い希望を持ちますけどね。

ブレイディ　だから一番必要だと思うのは、『走れメロス』のような礼節だけじゃなくて、いやもちろん友情は大切なんですけど、それだけじゃなくて今、社会的に起きてるようなこと、問題になってるようなこと。それこそうちの息子がイギリスの学校で話し合わされてるブラック・ライヴズ・マターのような社会問題を、日本も学校で話したり家で話したりしたらいいと思うんですよね。子どもたちが自分で考えて発言する場を作るのは、すごく大事なことですよね。

鴻上　大事ですよね。例えば日本で今、起きている問題を挙げるとしたら……途中まで感染判明者ゼロだった岩手県で一番最初にコロナの陽性者が出た時に、その人はいきなりネットで顔写真と名前をさらされて、職場に100本ぐらいの辞めさせろって電話やメールが来た。それに対してあなたはどう思いますか、というテーマ。

ブレイディ　それは、いい題材ですよね。

鴻上　だけど日本の場合はこれをしようとしたら、おそらく学校の先生も教育委員会も「学習の目当ては何ですか」と言い出すと思います。つまり、何が正しくて何が間違ってるかを明確にしようとしたがるんです。明確な答えが出ない問題こそ、自分の頭で考えて議論することが大切なんですけどね。

僕は教科書の編集委員の話し合いで「学習の目当てというのは、結論を出さなきゃいけないということですか。それとも、とにかく話し合おうって過程ができたらそれでいいんですか」と聞きました。

一般的には結論を出さないと、失敗だと思われたり、反省する人は多いでしょ。でも、人生の大切な問題に結論なんか簡単に出るわけないわけです。ブラック・ライヴズ・マターで、海の中に銅像を放り投げることをどう考えるかという問題だって、正しいのか間違ってるのか、はっきり結論なんか出せるわけない。でも、そういう問題を突きつけられる世界に我々は生きてるんだっていうことを共有するだけでも、子供達が社会を見る意識は随分《ずいぶん》変わってくるはずですよね。

ブレイディ　そうですよね。考えていかなきゃいけないことなんだって子どもに思わせるだけでも違う。そういえばイギリスは、小学校でも中学校でも教科書がないんですよ。

鴻上　教科書がない？

ブレイディ　カリキュラムはきちんと決まってるんですけどね。でも先生たちが授業で使うための教材は先生たちが自分で探して選んできてプリントにしたり、オンラインで生徒たちに配布したりして使っているんです。

「世界一受けたい授業」（日本テレビ系）というテレビ番組に出た時、イギリスでは教科書がないって言ったら、堺正章《さかいまさあき》さんが「それだと先生の力量によってすごい教育格差が広がるんじゃないか」と、とてもびっくりされて。そりゃそうだなと思ったんですけど、それこそ「sameness」である必要はないから。

授業に先生の個性が出ますよね。授業でどうやってこの話をしようかと考えるところから始まって、自分で教材を選んで組み立てるのは、先生たちがクリエイティブになれる。

ただイギリスも学校はまちまちだから、何もやってないようなところもある。コロナ禍のオンライン授業も、最新の調査では、公立の学校では英国全体の38パーセントしかやってなかったという結果が出てるんですよ。それに比べて私立の学校は、74パーセントはオンライン授業をしていた。このコロナで教育格差が広がるだろうと言われてるんですけどね。でも、それはもとからあったものですよね。

鴻上 数学なんかは教科書を使わずにどう進めていくんですか?

ブレイディ 教科書はなくても、何年生の何月にここまで教えてないといけない、というカリキュラムはきちんと国で決まってるんですよ。ただそれを教える教材を教師が自分で選んできていいですよってていうシステムですね。プリントの場合もあるし、今はほとんどの学校がポータルサイトにそれぞれの学年やクラスの教材をアップしていて、それを使います。オンライン化が進んでいますよね。

鴻上　なるほど、面白いですね。それを日本でやろうとすると、まず学校の先生をクラブ活動やいろんな雑事から解放してあげないと、準備する時間がないですね。放課後と土日を解放してあげないと、今の日本の先生は悲鳴を上げるでしょうね。

ブレイディ　だから歴史の授業で、海に投げ捨てられた銅像の話から始められるというのもそこですよね。日本みたいにちゃんと教科書があって、細かく決まってたら、時事に関連づけるような授業はできないですよね。

鴻上　そうですね、教科書は一つの材料にしか過ぎないはずなんだけど、今の日本の教科書で教える状況は、教科書に書かれていることを伝えるのが目的になっているという状態が問題ですね……と、教科書の編集委員同士でも話しているんですけど。
　教科書に沿っている限り問題はない、という感覚が、いつのまにか「教科書にだけ従うこと」がマストになって、教師の創意工夫が否定される傾向になってます。

ブレイディさんの息子さんが通っている元底辺校は、公立じゃなかったんでしたっけ？

ブレイディ　公立です。だけど、ちゃんとオンライン授業やってる38パーセントの中に入ってたんですね。数年前に校長になった先生が学校ランキングを上げようとしていて、他の先生たちの熱量もすごい。

校長先生は最近、Ｚｏｏｍの使い方を覚えたらしくて、個別ミーティングやりましょうって保護者に呼びかけてますもん。何か心配事があったら、校長が金曜日の朝9時からミーティングに応じますので、時間を予約してくださいとか言って。生徒たちにも呼びかけてますけど、なんで俺が校長と話さなきゃいけないのって、みんな嫌がってるみたい（笑）。

日本の芸能人が政治を語るタブー

鴻上　日本は今起きている政治の問題について、語りづらい世の中ですよね。特に日本の芸能人は、政治を語ることが本当にタブーになってる。芸能人が政治的発言をすると「ファンだったのに、そういうことを言うんですか」という反発がある。

検察庁法改正の議論が巻き起こった時に、きゃりーぱみゅぱみゅさんが、Ｔｗｉｔｔｅｒで私も検察庁法改正に反対しますという意見を出したら、「よく分かってないのに黙っておきなさい、勉強しなさい」って叩かれた。あの一件、実は結構、芸能人的にはみんなトラウマになってるんですよね。やっぱり人気者の芸能人が声を上げると叩かれるんだっていう恐怖ですよね。それを超えて腹括《くく》った小泉今日子《こいずみきょうこ》さんがすごく話題になりましたね。

政治的な発言をするということが、日本ではここまでタブーになってしまった。でもよく見ると、実は政府側の言説に沿えばそんなに炎上しない。もちろん完全に政府をヨイショしたような発言は、アンチ・ガバメントが集まって炎上させることはあるんですけど、やっぱり反政府的なＴｗｉｔｔｅｒをした方がはるかに炎上するし、はるかに批判されるんです。

どうして日本はここまで政治的なものに触れなくなってるんだろう。１９７０年代ぐらいまでのテレビは政権を笑い飛ばす「政治コント」なんて普通にやってたんですけどね。

ブレイディさんの本を読んでると、イギリス人はすがすがしいまでに自分の政治的立場が明確で、そこから全てを語ろうとするじゃないですか。本来はそれが当たり前のことだと思いますよね。

演劇は、他者を説得するツール

ブレイディ　こっちでは当たり前ですよね。

話が変わるんですけど、先週久しぶりにロンドンに行ったんですよ。ロックダウンが緩和されているのに、人がいなかったんですけどね。

そのロンドンの地下鉄駅の長いエスカレーターに、若いティーンぐらいの黒人の男の子が2人で酔って乗ってたんですよ。「フェミニズムはナンセンスだ、ファック・フェミニズム」とか、「フェミの女は生意気だ」とか、なんか大きな声で叫んでたんです。近くにいた白人のお姉さんは呆《あき》れたように首を振ってるし辺りは気まずい雰囲気なわけですよね。そしたら、黒人のウーピー・ゴールドバーグみたいな恰幅《かっぷく》のいい女性が、バーッとその2人の男の子の前に出ていってね、腰に手を当てて、「Black lives matter but women's lives matter too（黒人の命は大切だが、女性の命も大切）、覚えておきなさい」って言った。

鴻上　そのイキってる2人に言ったんですか？

ブレイディ　そう、イキってる2人に。「あんたのお父さんがそういうことを言ってるのかもしれないけど、あんたたちはニュージェネレーションでしょ。バカなこと言ってないで、子どもはさっさと家に帰りなさい」って怒ってるんですよ。その怒り方がね、すごいもう演劇的なの（笑）。

イギリスって、そういう場面が起こった時に、そのウーピー・ゴールドバーグみたいな人が出てくるんですよ。全員がスーッてエスカレーターで上がって去っちゃわないで、必ず誰か出てくる。それもイキってるのが黒人の男の子たちだったから、黒人の女性が出てきた。思うに、イギリスの人たちは、自分が見られてることを知ってて、明らかに人々の視線を意識してやっている。ふるまいというか、一種のパフォーマンスがストリートでの政治なんです。

ブラック・ライヴズ・マターを始めたのは、黒人の3人の女性ですよね。そのうち2人は、Queer（クィア＝性的少数者）だとカムアウトしている人たち。これまでの人種差別運動は男性中心で、運動内部にはジェンダーによる差別もあった。だから、これは女性も性的なマイノリティーもみんな入ってこられる人種差別運動にしなきゃいけないんだと考えて、自分たちで運動を立ち上げた。

その背景があって、黒人の女性が、「あんたたちの親の世代はそういうことを言ってるのかもしれないけど、黒人の命も大事だけど女性の命も大事なんだ」って言ったのは、本当に格好よかった。またその言い方がすごい演劇的なのは、政治的なアピールもパフォーマンスなのだという意識は、やっぱりイギリスの演劇教育が下地にあるからじゃないですかね。

鴻上　そこに帰ってきますか（笑）。

ブレイディ　つながりましたよ（笑）。前に言った国会中継の話にもつながりますが、イギリスの政治家は演劇的に見せて、自分の意見を面白く聞かせるということを知っている。それが他者を説得するツールになることをわかってるからです。演説のうまい人って、棒読みしませんもんね。イギリスは、ハイド・パークのスピーカーズ・コーナー（様々《さまざま》な人が自分の考えを論じる場所）の伝統を持つ国です。言論の自由の原点といわれる場所ですが、ああいう場所で喋ることはある意味、大道芸と大差ないですから、つまんなかったら人がいなくなってしまいます。

イギリスでは、政治的な意見を表明するっていうことと演劇は切り離せないと思います。実際、昔からエスタブリッシュメントの子どもはステージスクール（演劇学校）に通ってる子がよくいますよね。あれにしても、俳優にさせるためではないのです。

鴻上　そうですね。単に感情的に叫ぶだけじゃなくて、ちゃんと表現者としてスピーチできてるってことですからね。

ブレイディ　まわりから見られてることをわかってるんです。

鴻上　日本人がそこまでいくのは、いつになるんだろう。でも、確かに表現になっているし、しようとするからこそ、単なる罵《のの》り合いとか、感情のぶつけ合いにならないんですよね。

ブレイディ　表現になってるんですよ。

鴻上　本当にそうですね。それがすごく大事なこと。僕、この1年間、テレビのコメンテーターだったんです。コロナがなかったら三角関係だの不倫だの、のんきなことを、のんきに喋って終わる仕事だったはずなのに、何という時期にコメンテーターを引き受けてしまったんだろうって思いましたよね。

コロナ禍、例えばニューヨーク州の住民は、無料で何度でも予約なしにPCR検査が受けられる。ニューヨークの美容師さんは2週間に1回、PCR検査をすることがマストで、法律で決まってるという時に、何で日本はそうしないのか。特に初期は、37度5分が4日続かないとPCR検査が受けられなかった。

その頃に、ニューヨークができるのに日本ができるようにならない疑問についてテレビですごく熱く語ったんです。そうしたら、「偉そうに語るんじゃねえ」「日本人全員がPCR検査なんか受けられるわけねえじゃねえか」って批判がすごくあった。熱く語っていることが反発の対象になっちゃって、話の内容なんて何も伝わってない。

この1年で僕は、テレビは情報を伝えることに不向きなメディアだっていうことがすごく分かりました。情とか気持ちとか立場とかは伝わるんだけど、正確な情報や伝えたい情報は、視聴者は受け取らない。だからテレビ的なスピーチの仕方を、僕は学ばなきゃいけないと思ってます。

例えばコンビニで外国人が働いてて、話が通じにくかった場合に、日本語もできねえのに働いてるんじゃねえよ、みたいなことを言った日本人に対して、その言い方はよくないと指摘する時も、つい感情的になってしまって喧嘩《けんか》になる場合が多いんだけど……。

必ずカウンターが出現する英国社会

ブレイディ　そこに、あの黒人の女性みたいにスッと出ていって、説得できる表現ができるかっていうことですよね。

鴻上　表現としてね。そう、それはやっぱり訓練だと思いますよね。

ブレイディ　演劇ですよ（笑）。

鴻上　そう、演劇ですね。そこでおじさんの怒りを「この人も苦労してるわけだし、こういう人が働いてくれるからコンビニは長時間開けられてるわけだから」ってコミュニケーションできるような表現の仕方ができるようになると随分、分断も対立も減るんじゃないかって気がしますよね。

それにしても羨《うらや》ましいですよね。必ずカウンターが日常レベルでいるっていう社会が実に羨ましい。

ブレイディ　必ず出てくるんですよね。日本みたいに意見がただ一方に流れて何となく終わり、ということにはならないんですよ。必ず誰かカウンターが出てくる。

鴻上　だからって、イギリス人がみんな賢いわけじゃなくて、コロナの時に、初期にパスタが効くっていう訳の分からない噂《うわさ》が出てましたよね。今この本を読んでいる読者はイギリス人、だいぶ賢いなと感心しているかもしれないけど、イギリスではコロナにパスタが効くっていって、スーパーからパスタが消えたんです（笑）。でもパスタを買い占めることは愚かであるっていうカウンターがちゃんと現れるっていう、それがやっぱり大事なことですよね。

ずっと話してきてるイギリスの知恵は実は、ヨーロッパがどれだけ戦乱を続けてきたかっていう歴史の結果ですよね。ヨーロッパって、ずっと国と宗教の戦争を続けてきたわけでしょう。本当にどれだけ身近な隣人達と殺し合いを続けてきたかという歴史を重ねてきて得たことが大きいと思うんですよね。

ブレイディ　そうなんです。差別にしたってイギリスは80年代ぐらいまではひどかったわけじゃないですか。そこでものすごい衝突とか、暴動とかデモとか血なまぐさいことがあって今があるわけです。一朝一夕《いっちょういっせき》に今に至ったわけじゃないですよね。

日本で70年以上戦争がなかった理由

鴻上　それで言うと、日本で70年以上戦争がなかった理由は、やっぱり戦争経験者の強い語りにあると思う。おじいちゃんもおばあちゃんも、とにかく戦争は勝っても負けてもダメなんだと、理屈を超えて次世代に伝えてきたから。それは日本人がすごい学んだことだと思いますよね。

僕らは、民主主義は血を流して学ばなかったけど、戦争のむごさや悲惨さは、日本全土が空襲されてみんな学んだということはあると思うんですよね。

それと、コロナ禍でも日本人は学習したと思いますね。日本人は全部政府にお任せしている意識から、コロナ禍で、自分達で考えるという訓練を突きつけられているという気がすごくしてるんです。コロナは嫌なことばっかりだけど、唯一、「日本人に自分の頭で考えること」を突きつけてくれたと思っています。それは、とても素敵なことです。

自分達で考えないといけないと思うようになるきっかけがコロナだと。日本は毎日、全国と東京の感染者数が発表されていて、多くの人は一喜一憂しながらも、いやいや、検査の総数は何人だろう、陽性率も大事だよねって疑問を覚えるようになった。さらに、「ＧｏＴｏキャンペーン」は結局良かったのか、ＰＣＲ検査は拡大した方がいいのか、国民一人一人ＧＰＳ付きのアプリを持った方がいいのか。自分のこととして真剣に考えるようになった。それはやっぱり日本人がちょっと賢くなったということかなと感じました。

ブレイディ　みんなやっぱり、何とかしなきゃって思ってるんですよ。だからあとは、突破口が見つかれば、それをきっかけに少しずついろんなことが変わるかも。実は最近、希望という言葉に抵抗感を抱いてるんです。あまりにも「希望を感じさせる文章を」という原稿依頼が多いから。そんな一時しのぎのドラッグみたいに「希望」「希望」って言っても詐欺《さぎ》みたいだし（笑）。

でも、こんな時こそ、何かが始まるきっかけにはなり得る。その可能性は否定しません。

（２０２０年秋）

協力
NHK
株式会社ホリプロ
マグワイア陽子

ブックデザイン
鈴木千佳子

校閲
若杉穂高、藤本眞智子

編集
内山美加子

ブレイディみかこ

ライター、コラムニスト。1965年、福岡県生まれ。福岡県立修猷館高等学校を卒業後、渡英を繰り返す。96年に渡英後は断続的にブライトンに住み、ロンドンの日系企業での勤務、翻訳の仕事、保育士を経て現在は執筆活動に専念。2017年、『子どもたちの階級闘争―ブロークン・ブリテンの無料託児所から』(みすず書房)で第16回新潮ドキュメント賞受賞。19年、『ぼくはイエローでホワイトで、ちょっとブルー』で第2回Yahoo!ニュース 本屋大賞 ノンフィクション本大賞受賞。『労働者階級の反乱―地べたから見た英国EU離脱』(光文社新書)、『女たちのテロル』(岩波書店)、『ワイルドサイドをほっつき歩け―ハマータウンのおっさんたち』(筑摩書房)、『ブロークン・ブリテンに聞け Listen to Broken Britain』(講談社)などがある。

鴻上尚史

こうかみ・しょうじ

作家・演出家。1958年、愛媛県生まれ。早稲田大学卒。在学中に劇団「第三舞台」を旗揚げ。95年「スナフキンの手紙」で岸田國士戯曲賞、2010年「グローブ・ジャングル」で読売文学賞戯曲・シナリオ賞受賞。現在は、「KOKAMI＠network」と「虚構の劇団」を中心に脚本、演出を手掛ける。ベストセラーに『「空気」と「世間」』、『不死身の特攻兵―軍神はなぜ上官に反抗したか』(共に講談社現代新書)、近著に『鴻上尚史のもっとほがらか人生相談―息苦しい「世間」を楽に生きる処方箋』(朝日新聞出版)、佐藤直樹氏との共著『同調圧力―日本社会はなぜ息苦しいのか』(講談社現代新書)などがある。Twitter(＠KOKAMIShoji)も随時更新中。月刊誌「一冊の本」(朝日新聞出版)、ニュースサイト「AERA dot.」で『鴻上尚史のほがらか人生相談―息苦しい「世間」を楽に生きる処方箋』を連載中。

何《なん》とかならない時代《じだい》の幸福論《こうふくろん》

2021年1月30日　第1刷発行

著　者　　ブレイディみかこ
　　　　　鴻上尚史

発行者　　三宮博信
発行所　　朝日新聞出版
〒104-8011 東京都中央区築地5-3-2
電話03-5541-8832(編集)
03-5540-7793(販売)

印刷製本　株式会社　加藤文明社

Published in Japan by Asahi Shimbun Publications Inc.
ISBN 978-4-02-251741-8

定価はカバーに表示してあります。
落丁・乱丁の場合は弊社業務部
(電話03-5540-7800)へご連絡ください。
送料弊社負担にてお取り替えいたします。